D0714784

L'assassin est au collège

Marie-Aude Murail

L'assassin est au collège

Médium
11, rue de Sèvres, Paris 6e

Loi n° 49.956 du 16 juillet 1949 sur les publications
destinées à la jeunesse : septembre 1992
Dépôt légal : juin 2006
Imprimé en France par Bussière
à Saint-Amand-Montrond
N° d'édit. : 8952. N° d'impr. : 061932/1.

Pour Tristan, Lorris et Elvire
de la part du quatrième Dalton.

Le professeur d'histoires

– ...*puisque sur le cercueil,* dictais-je, *est représenté le voyage du mort vers les Enfers* virgule, heu, non, point...

– Point ou virgule ? me demanda Catherine, avec un air de grande lassitude.

– Point virgule, dis-je. *La religion étrusque...* Tiens, on sonne.

– *La religion étrusque tiens on sonne,* répéta Catherine en continuant de taper sur le clavier.

– Mais allez ouvrir !

– Je suis votre secrétaire ou votre bonne ?

– Je vous paie cher pour la quantité de fautes que vous réussissez à caser dans une seule phrase.

– Achetez-moi un ordinateur avec correcteur orthographique, répliqua ma secrétaire.

Dring, dring.

– ...et dépêchez-vous d'aller ouvrir, monsieur Hazard. Votre visiteur s'impatiente. Vous allez rater la vente de «Tout l'Univers» en cent quinze volumes.

– Je finirai par vous poignarder sauvagement, dis-je pensif.

– J'ai remis votre coupe-papier dans son étui et l'étui dans le tiroir... Les jurés verront qu'il y a eu préméditation.

Driiing. Le visiteur jetait son va-tout avant d'abandonner la partie. Je me précipitai dans l'entrée.

– Oh, inspecteur Berthier!

L'inspecteur me tournait déjà les talons. Il remonta pesamment les deux marches.

– Ah bon, vous êtes là. Vous étiez occupé ou quoi?

En riant grassement, il jeta son chapeau sur mon fauteuil et cligna de l'œil vers Catherine.

– Je vais faire du thé, annonça ma secrétaire.

– Je croyais que vous n'étiez pas ma bonne, remarquai-je entre mes dents.

Catherine s'éloigna d'un pas chaloupé.

– Jolie fille, me dit Berthier. Avant de vous connaître, monsieur Hazard, je pensais que les professeurs de faculté passaient leur vie le nez dans les bouquins… Ah, ah !

– Tout le monde peut se tromper, répliquai-je. Avant de vous connaître, je pensais que les inspecteurs de police avaient un Q.I. normal. Mais asseyez-vous…

Un peu rembruni, Berthier prit place sur mon canapé. Il se tut un moment, espérant peut-être que je lui viendrais en aide.

– Vous aimez toujours jouer les détectives amateurs* ? se décida-t-il soudain.

– NOUS adorons ça, répondit à ma place ma secrétaire.

Elle venait de poser le plateau pour le thé sur une table basse et s'était agenouillée, les fesses sur les baskets, pour faire le service.

– J'ai une petite énigme pour vous, murmura l'inspecteur.

Comme je ne réagissais toujours pas, il s'était tourné vers Catherine.

– Figurez-vous qu'il se passe des choses bizarres à Queutilly-sous-Doué.

* Voir *Dinky rouge sang*, où Nils Hazard fait ses débuts de chasseur d'énigmes.

– Queutilly-sous-Doué, répétai-je en insistant sur le « sous-doué ». C'est bien là que se trouve le centre de formation des inspecteurs de police ?

Berthier ignora ma plaisanterie.

– C'est là que se trouve le collège Saint-Prix, et c'est le directeur de cet établissement qui a fait appel aux services d'un de mes collègues.

Berthier ouvrit sa petite sacoche de cuir et en sortit ce que ma longue pratique de prof me permit d'identifier tout de suite comme étant des copies d'élèves.

– Des devoirs d'histoire, monsieur Hazard, reprit l'inspecteur. Tous notés.

Il en étala quatre sur la table basse. Chaque copie portait pour seule indication un 0/20 en gros chiffres rouges maladroits.

– Le professeur de cette classe de 4ᵉ a retrouvé son casier forcé dans la salle des profs. La correction des copies avait été faite, comme vous le voyez.

– Plaisanterie de potaches, dis-je sans m'émouvoir autrement.

– Le malheureux prof est effectivement très

chahuté, reconnut l'inspecteur. Il se plaint que les plombs sautent chaque fois qu'il veut se servir du magnétoscope, que la serrure de sa salle de classe est systématiquement bouchée par du plâtre, que son bureau est maculé par de la craie écrasée...

– Je ne vois pas d'énigme dans tout cela, protesta Catherine.

Berthier souriait. Il me tendit une des copies.

– Vraiment, professeur, auriez-vous mis zéro à cet élève ?

Je pris le devoir et le parcourus des yeux. Rédigé dans un français indigent, il était en outre criblé de fautes.

– 2 ou 3, dis-je en reposant la copie. Mais je ne suis pas spécialiste de l'histoire de France. Je ne connais bien que les Etrusques et un peu moins bien les Egyptiens...

– On le saura, grommela Catherine.

Berthier me souriait, l'air de plus en plus niaisement satisfait.

– Rien ne vous intrigue ? Je vous croyais doué d'une intuition supranormale... Vous ne remarquez rien ?

Un peu vexé, je repris la copie en main. Il

n'y avait aucune correction. Seulement cette note à l'encre rouge. Je secouai la tête à regret.

– Ma langue au chat...

– Ce n'est pas de l'encre, dit l'inspecteur dans un murmure, c'est du sang humain.

Catherine qui tenait la théière eut un sursaut malheureux et versa le thé sur la table.

– Du sang ?

– Nos laboratoires sont formels, reprit Berthier, s'épanouissant dans le macabre. Cette couleur rougeâtre qui a tendance à s'écailler, c'est du sang. Toutes les copies ont été corrigées avec du sang humain. Que pensez-vous de cette... plaisanterie, monsieur Hazard ?

– Elle me paraît difficilement réalisable par des élèves de 4e. Le professeur n'est-il pas un peu détraqué ?

– Il vient de faire une dépression nerveuse, admit l'inspecteur. Il est en maison de repos.

Catherine éclata de rire :

– Eh bien, c'est ça ! Il a disjoncté. Il a lui-même corri...

– Je me permets de vous interrompre, mademoiselle Roque.

L'inspecteur plongea sa main dans la sacoche de cuir et en retira une nouvelle copie.

– Ceci est un devoir de français effectué, depuis le départ de ce professeur d'histoire, par une élève de 6ᵉ.

Une note s'étalait en rouge sur la copie : 20/20.

– Le professeur de français, madame Zagulon, a retrouvé cette copie dans son propre cartable, glissée au milieu des autres et déjà corrigée.

– A-t-on retrouvé des empreintes sur la copie ? questionnai-je, subitement impressionné.

– Celles de l'élève et du professeur.

– Ne serait-ce pas cette madame Zagulon qui se serait amusée à...

Je ne terminai pas ma phrase. Pour quelle raison une personne sensée se mettrait-elle à noter des copies avec du sang ? La folie était à l'œuvre au collège Saint-Prix.

– Le directeur de cet établissement privé, monsieur Agnelle, souhaite que cette affaire soit éclaircie, poursuivit Berthier, mais que l'enquête soit menée discrètement. Les parents pourraient ne pas trouver la plaisanterie très drôle...

– Soupçonnez-vous quelqu'un ? lui demanda Catherine qui ne cessait de se trémousser tant cette affaire la passionnait.

– Je pencherais pour un élève de 3e, répondit l'inspecteur. Ils ont de sacrés lascars à Saint-Prix. Mais je n'ai pas de preuve. Il faudrait s'établir dans la place et pincer le farceur sur le fait.

Il me regardait avec insistance.

– Quelqu'un qui viendrait remplacer le prof d'histoire, par exemple... On ne se méfierait pas de lui. Vous enseignez bien l'histoire en Sorbonne, professeur ?

– Les Etrusques, me récriai-je, essentiellement les Etrusques !

– Et un peu les Egyptiens, compléta machinalement Catherine. Moi, je veux bien m'engager comme pionne à Saint-Prix.

– Catherine, dis-je sévèrement, je vous prie de rester en dehors de cette histoire. Une jeune fille ne doit pas prendre de risques inconsi...

Catherine battait des cils, les mains à la poitrine, affectant un air d'admiration amoureuse.

– Le machisme vous rend tellement sexy, Nils !

M'ayant mis K.-O., elle se tourna vers l'inspecteur :

– C'est O.K. Monsieur Hazard enflammera tous les cœurs de Saint-Prix... pour l'étruscologie et pendant ce temps-là, je trouverai le coupable.

Je raccompagnai l'inspecteur, une fois le thé expédié.

Sur le seuil, Berthier se dandina un instant, son chapeau à la main.

– Entre nous, lâcha-t-il soudain, c'est votre secrétaire ou votre petite amie ?

Une pointe d'envie jalouse perçait dans sa voix. J'eus un mouvement de dénégation indignée.

– Catherine ? Mais elle est beaucoup trop jeune !

– C'est ce que je me disais, marmonna Berthier, d'un ton consolé.

Il descendit deux marches, tout en rajustant son chapeau.

– Oh, inspecteur !

Il se retourna. Je clignai de l'œil :

– C'est quand même ma petite amie.

– Que racontiez-vous à l'inspecteur ? me demanda Catherine.

– Rien, rien… Qu'est-ce que vous tenez à la main ?

– Berthier a oublié la copie de français.

Elle la posa sur mon bureau, près de l'ordinateur, puis se mit à débarrasser les tasses. Je la regardais faire, maussade. Dans quelle histoire m'avait-elle encore embarqué ?

– Je n'ai aucune envie de faire la classe à des mioches, bougonnai-je.

– Vous les passionnerez avec vos machins étrusques. Ils vous prendront pour Indiana Jones.

– Je n'aime pas les mioches.

– Vous leur parlez toujours très gentiment.

– Derrière un hygiaphone, répliquai-je avec une moue écœurée. Ils sont vivants, ces petits animaux. Je suis sûr que c'est contagieux.

Catherine éclata de rire et me lança un coussin.

– Vous êtes idiot ! Je me sauve.

– Pour aller vous perdre où ?

Catherine plissa le nez. C'est sa grimace pour me narguer :

– Ah, mystère, mystère.

Elle attrapa son blouson :

– A demain, monsieur Hazard !

... La porte claque. Catherine dévale l'escalier. Elle est dans la rue à présent. Je m'approche de la fenêtre et j'y appuie le front. Elle court sur le trottoir d'en face, sans même songer à éviter les flaques. Elle va tourner au café.

Voilà. Elle a tourné. Le jour tombe. Je n'aime pas cette heure entre chien et loup. Des souvenirs me reviennent du fond de l'enfance, souvenirs qui ne sont ni heureux ni enfantins.

... J'ouvris le tiroir et je sortis le coupe-papier de son étui. Piquant et affûté : c'est un cadeau de Catherine. Nous devrions nous marier. Mais si nous supportons mal de vivre loin l'un de l'autre plus de deux jours, nous supportons encore plus mal de rester ensemble plus de vingt-quatre heures. Je m'assis à mon bureau en soupirant et appuyai mon front contre mes poings. Le crépuscule chavire les esprits incertains...

Mes yeux tombèrent alors sur la copie de français, près de l'ordinateur. Une phrase venait de m'accrocher: « On va jouer à l'assassin. » Je pris le devoir et je me mis à lire :

« Vous avez déjà ressenti une émotion forte. Dites en quelles circonstances (une page maximum). »

Martine m'avait invitée à son anniversaire. Après les chaises musicales, madame Maréchal, la maman de Martine, nous a dit d'aller dans la chambre. Martine a fermé la porte :

– Maintenant, on va jouer à l'assassin.

C'est un jeu très bien. On distribue des papiers pliés en quatre où il y a écrit « inspecteur », « assassin » ou rien.

Chacun prend un papier et l'inspecteur sort de la pièce. Puis on éteint les lumières. Dans le noir, l'assassin s'avance et quand il a quelqu'un sous la main, il le poignarde. La victime pousse un cri à faire se dresser les cheveux.

L'assassin s'écarte et l'inspecteur entre en criant :

– Police ! Que personne ne sorte !

On rallume. L'inspecteur interroge tout le monde et il doit deviner qui est le coupable. C'est un jeu qui fait très peur parce qu'on attend dans le noir. On entend un grincement, une respiration. Quelqu'un vous frôle et puis c'est le coup fatal. J'ai été tuée trois fois. J'ai cru vraiment que j'allais mourir, tellement mon cœur battait fort. En partant, j'ai remercié madame Maréchal. Je lui ai dit :

– J'adore jouer à l'assassin.

Ma copine a ri et elle a dit :

– Tu te fais toujours assassiner.

Je regardai le nom de l'élève en haut de la copie : Claire Delmas, 6e2.

– Etrange, marmonnai-je en reposant le devoir.

Elle avait eu 20/20 en chiffres de sang. Qui était Claire Delmas ? Quand je laissai aller ma tête sur l'oreiller, ce soir-là, une phrase me vrilla le cerveau : « Tu te fais toujours assassiner » et je ne pus l'en déloger.

*

* *

Un courant d'air glacial traverse de part en part le plateau de Queutilly comme un coup de poignard. Par la fenêtre de Saint-Prix, on aperçoit la Doué qui coule en contrebas entre deux rangées de peupliers. Le soleil, ce matin-là, faisait crépiter le givre aux branches nues des arbres.

– L'hiver sera rigoureux, commenta monsieur Agnelle dans mon dos.

Je me retournai.

– Je ne vous ai pas trop fait attendre, monsieur Hazard ? Asseyez-vous… Vous admiriez la vue ?

Une fois derrière son bureau, le directeur de Saint-Prix me dévisagea intensément.

– Je n'ai pas très bien compris, me dit-il. Vous êtes de la police ou vous êtes de la faculté ?

– Mettons que je suis comme vous.

– C'est-à-dire ?

– Un privé.

Une sorte de sourire tordit la bouche du directeur. Les reliefs de son visage étaient si tourmentés qu'on s'attendait presque à voir les os se déplacer, sous la poussée d'obscures forces tectoniques.

– Bien sûr, reprit-il, personne n'est au courant. Pour tout le monde, vous êtes le remplaçant de monsieur Copa, notre malheureux professeur d'histoire. Au fait, vous pourrez assurer ses cours ?

J'ignorais jusqu'au contenu des programmes.

– Tout à fait, dis-je.

Monsieur Agnelle leva alors les yeux au plafond, à la recherche du prêchi-prêcha qu'il allait me servir.

– La bonté, monsieur Hazard, n'est pas le trait dominant de la jeunesse. Qu'ils viennent ou non de familles aisées, la plupart des jeunes à Saint-Prix manquent de repères et de valeurs. Les derniers événements m'ont peiné, mais pas vraiment surpris. Il faut s'attendre à cela et à pire.

Il me regarda pour savourer l'effet de son préambule. Je lui fis un petit signe de tête encourageant. Fonce, Alphonse, tu m'intéresses.

– Je ne me serais pas résigné à faire appel à vos services, poursuivit-il, si cette... ordure n'avait pas été glissée sous ma porte.

A bout de bras, il me tendit un papier sur lequel on avait écrit en lettres capitales :

AGNELLE, TU T'EN FOUS PLEIN LES FOUILLES.
TES JOURS SONT COMPTÉS.
PRENDS GARDE A TA COMPTA.

– C'est anonyme, reprit Agnelle. Mais d'une certaine manière, c'est signé. C'est le « style » des 3es.

Il froissa le papier dans son poing.

– Nous n'avons qu'une classe de 3e où nous recueillons tous les élèves que les collèges de la région ne tolèrent plus. Vous imaginez de quel rebut il s'agit.

Il en parlait en faisant une lippe dégoûtée.

– Les parents nous demandent de conduire ces jeunes jusqu'au brevet...

Il ricana :

– Jusqu'au brevet ! Combien d'entre eux sont réellement récupérables ? Si sur 20 élèves, nous en sauvons 10, j'estime que nous aurons fait notre devoir. Pour les 10 autres... il faut bien que le diable ait sa part. N'est-ce pas ?

– Fifty fifty, dis-je tranquillement.

Un brouhaha se fit alors entendre dans le couloir.

– Monsieur le directeur ! Monsieur le directeur !

La porte du bureau s'ouvrit. C'était Lucien, le concierge un peu simplet, suivi d'un surveillant.

– Un accident ! s'écria monsieur Lucien.

Nous nous levâmes d'un même mouvement.

– Elle a sauté par la fenêtre, bredouillait le concierge. C'est une chance. Elle s'est pas tuée.

Dans la cour s'était formé un attroupement que le directeur fendit brutalement, en attrapant les gosses au collet et en les rejetant de côté.

– Eh bien, que se passe-t-il, monsieur Rémy?

Un grand gaillard au sourire décontracté aidait une petite fille à se remettre sur pied. Celle-ci poussa un cri de douleur.

– C'est la cheville, dit monsieur Rémy. Entorse ou fracture. Je vais la porter à l'infirmerie.

Il souleva sans effort la fillette, une blonde aux cils presque blancs.

– Mais enfin, va-t-on m'expliquer... commença Agnelle, d'un ton rageur.

Il ressortit des explications confuses du concierge que l'enfant avait délibérément sauté dans la cour depuis le vasistas des toilettes, au premier étage.

– Qu'est-ce que je vais raconter aux parents? marmonna le directeur.

Il se souvint de ma présence et ajouta :

– Excusez-moi, monsieur Hazard, je dois aller téléphoner. Au fait, cette petite sera de vos élèves. Claire Delmas, 6e2.

Il me laissa au milieu de la cour, pris dans un tourbillon de pensées. Claire Delmas, 20/20, « on va jouer à l'assassin ».

– L'infirmerie, s'il vous plaît ?

Sur les indications toujours embrouillées du concierge, je montai l'escalier de marbre jusqu'à l'étage puis je pris le couloir de droite vers la porte vitrée. Elle était entrebâillée.

– Pourquoi tu as fait ça ? disait une petite voix flûtée.

– Parce qu'il était derrière moi, j'en suis sûre, répondit une voix plus rauque.

– Mais quand même, t'es folle de sauter par la fenêtre !

– J'ai pas réfléchi. J'avais trop... Il y a quelqu'un.

J'étais repéré. Les deux voix se turent. Je frappai à la porte et la poussai.

– Bonjour ! Vous allez mieux ?

Claire était assise sur un divan, la cheville droite bandée et posée sur un coussin. Elle me dévisagea, avec cet air si engageant des adolescents qui pensent : « Qui c'est encore, çui-là ? »

– Je suis votre nouveau professeur d'histoire, me présentai-je.

– Bonjour, monsieur, dirent à l'unisson les demoiselles.

Je devinai alors que toutes deux préféreraient se faire couper en rondelles par l'éventreur de Boston que de se lier avec moi.

– J'espère que ce n'est pas grave, ajoutai-je piteusement.

– Le prof de gym m'a dit que c'était une entorse.

– Pourquoi avez-vous sauté par la fenêtre ?

Claire me regarda comme si je posais la question la plus inepte qu'elle ait jamais entendue.

– Je ne sais pas, me répondit-elle, à bout de patience.

Mon détour par l'infirmerie m'ayant retardé, je retrouvai ma classe de 6e2 qui piétinait et chahutait dans un couloir. Ma voix claqua :

– Silence !

Interloqués, les gosses me regardèrent. La partie de bras de fer s'engageait.

– Entrez...

En s'installant à leur place, mes élèves reprirent leur bourdonnement habituel, traînant une chaise, faisant tomber un livre ou se poussant dans le dos. J'avais en face de moi des nourrissons. Qu'est-ce que j'allais bien pouvoir faire de « ça » ? Un jeune garçon à lunettes rondes posa sur mon bureau le cahier de textes et le cahier d'appel.

– Vous êtes le délégué ?

– Non, me répondit-il, la déléguée est à l'infirmerie.

– Ah... Claire Delmas.

– Non. Martine Maréchal.

– Et vous, vous êtes ?

– Le baron Von Gluck.

La houle de rires qui salua sa réponse fit monter en moi une vague de colère. Même si mes étudiants de Sorbonne me considèrent entre eux comme un plouc de l'autre monde, jamais ils ne se montrent irrespectueux. Ce môme aux yeux pétillants derrière ses carreaux se payait ouvertement ma tête. Mon premier mouvement eût été de lui balancer une gifle, mais je me souvins à temps que j'étais professeur – donc impuissant.

– Allez à votre place.

Je m'assis sur mon bureau, les jambes pendantes.

Derrière les hautes fenêtres de la salle, le soleil montait à l'assaut du zénith. Attachant à lui mes regards, je commençai mon cours :

– Du temps qu'il vivait sur la Terre, dans son château d'Héliopolis, le Seigneur Râ, chaque matin, ouvrait les yeux et c'était l'aube. A midi, c'était lui l'épervier d'or planant au zénith. Le soir, de retour dans son château, le Seigneur Râ fermait les yeux et c'était la nuit.

Ebloui par la lumière, je revins poser mon regard sur mes élèves. Peut-être se taisaient-ils ? Moi, j'étais dans l'autre monde, sur la barque du Dieu-Soleil.

– En un jour, Râ parcourait toutes les provinces de la Terre, rendant justice aux hommes, soulageant leur misère et distribuant à chacun formules magiques ou talismans pour faire fuir les serpents, les bêtes sauvages, la maladie et les méchants.

Le silence de la classe me parvint enfin, silence d'or où tintaient mes paroles. La bouche, les yeux, le cœur grands ouverts, mes nourrissons buvaient à la source de l'Histoire.

– A force de donner à tous et à chacun, le Seigneur Râ ne garda plus pour lui-même qu'un seul talisman pour le protéger. C'était le nom que son père et sa mère lui avaient attribué à l'heure de sa naissance, ce nom secret qu'il était seul à connaître et qu'il tenait caché dans sa poitrine, de peur qu'un sorcier ne s'en emparât. On ne peut faire de mal à un être vivant tant qu'on ne sait pas son nom secret, son nom véritable, ce nom qui est au fond de nous et qu'il ne faut jamais dire.

Quand la sonnerie grésilla, le garçon aux lunettes leva la main :

– M'sieu, c'est fini.

– Fini ? répétai-je, à demi hébété.

– Ben, le cours. Il est fini.

Tous les visages étaient tournés vers moi, captifs. Un professeur d'histoires... pourquoi pas?

– A la prochaine fois, dis-je simplement.

– Au r'voir, m'sieu ! me lancèrent-ils, la voix légère.

Le garçon aux lunettes se planta devant mon bureau :

– C'est comment votre nom ?

– Nils Hazard.

Les enfants se mirent à rire. « Nils Hazard », ça sonne faux.

– Vous gardez votre nom véritable ? me demanda le gamin.

– C'est ça, baron.

– Je m'appelle Térence mais j'aime pas.

Il s'éloigna, les cahiers sous le bras. Mon regard revint vers la fenêtre. Le soleil me clignait de l'œil entre les nuées.

– A la prochaine fois, lui dis-je tout bas.

Je voulus prendre possession de mon casier dans la salle des professeurs. Il était déjà étiqueté à mon nom. J'y déposai quelques livres.

– Alors, qu'est-ce que vous pensez de nos petits 6^{es}2 ? fit une voix doucereuse derrière moi. Mais d'abord, que je me présente : madame Zagulon. Je suis le professeur de français.

De surprise, je restai muet.

– Vous êtes bien le nouveau professeur d'histoire ? insista madame Zagulon.

Je n'avais encore jamais vu pareil tableau : deux centimètres de fond de teint sur le visage pour en colmater les brèches, la palette d'un arc-en-ciel irisant les paupières et une bouche de goule dessinant un cœur graisseux.

– Vous n'aurez pas de mal avec les 6es, reprit-elle sans s'alarmer de mon silence. A cet âge-là, on les mate. Les 4es sont durs, cette année, surtout les 4^{es}1. Des têtes à claques, des ricaneurs. Et les filles sont les pires. C'est si bête, à l'adolescence, toujours à pouffer dans votre dos. Elles ont démoli votre collègue, ce pauvre monsieur Paco... Coca... Je ne sais plus son nom.

Toutes les paroles passant par cette bouche huileuse en sortaient salies, inévitablement.

– Il faudra vous défendre, susurra-t-elle, ou ils vous dévoreront.

– Vous me trouvez comestible à ce point ? m'inquiétai-je.

Elle-même ne risquait rien, faisant trois fois mon poids. Je la saluai d'une inclination de tête :

– Excusez-moi. J'ai cours...

Mon emploi du temps indiquait : Géo salle 401. J'aime l'histoire à la passion mais entre la géographie et moi, ce n'est qu'un mariage de raison. Cette femme m'ennuie avec sa climatologie, son hydrographie, sa géomorphologie et toutes ses maladies assommantes.

– Entrez, lançai-je d'un ton distrait à mes élèves, comme un médecin ferait avec ses patients.

Quelques ricanements me rappelèrent à moi. C'étaient les 4es1. Cherchant d'un regard en biais le défaut dans ma cuirasse, ils étaient déjà en train de m'inventer un surnom grotesque.

– La porte est fermée, claironna un rouquin.

J'avais la clef de la salle 401 qui devait être ma salle principale. Les élèves s'écartèrent sur mon passage. J'avançai la clef vers la serrure. Un gloussement m'avertit que j'allais me rendre ridicule. Je palpai mon blouson et je sortis de la poche intérieure le coupe-papier effilé de Catherine. Grâce à lui, je pus faire tomber de la serrure le plâtras qui l'obstruait. Je regardai le rouquin :

– 15-0.

Et je tournai la clef. Je m'imaginais un peu vite les avoir impressionnés.

– Où en êtes-vous dans le programme de géographie ? demandai-je à une jeune fille du premier rang.

Elle était très brune de teint et de cheveux. J'appris par la suite qu'elle était iranienne et s'appelait Naéma.

Elle baissa les yeux en marmonnant :

– Je sais pas.

La consigne avait dû être donnée : aucun contact avec l'ennemi. Les bons élèves, dont elle était, s'y pliaient par crainte de se faire traiter de lèche-bottes.

– Eh bien, nous allons étudier la démographie des pays d'Europe de l'Ouest, dis-je en soupirant malgré moi.

Il faisait presque nuit dans la salle de cours tant le ciel s'était assombri. Le vent par rafales faisait trembler les vitres.

– Allumez donc les néons, demandai-je au rouquin.

Jules Sampan – c'était son nom – prit un air de dignité offensée et se traîna jusqu'à l'interrupteur. Je commençai mon cours avec autant d'entrain que si je venais d'être condamné aux galères. Les élèves du premier rang me regardaient avec des yeux de veau, ceux de derrière s'agitaient déjà.

– Vous ne prenez jamais de notes ? demandai-je à Naéma.

– On sait pas.

– Alors, vous allez copier sous ma dictée, dis-je, m'étranglant de fureur.

La classe s'ébroua au son de «T'as un stylo? T'as une copie ? File-moi une cartouche ! » Cinq minutes plus tard, je dictais mon cours, me retournant parfois vers le tableau pour y inscrire des chiffres. Dans mon dos, j'entendis soudain un «banzaï! » nettement claironné puis les néons s'éteignirent et quelques filles poussèrent un cri aigu.

– Y a plus de lumière, m'sieu !

– Merci. Je m'en suis rendu compte.

Je terminai mon cours dans le noir et au

milieu du brouhaha. La haine, comme un fer chaud, me brûlait la nuque.

J'avais envie d'attraper un élève, n'importe lequel, et d'aller lui cogner la tête contre celle de Sampan. La sonnerie vint me délivrer. Sans un regard, sans un salut, les 4^{es}1 se ruèrent vers la sortie. Jules passant devant moi lança à la cantonade :

– 15-30 !

Par la fenêtre de la salle 401, je regardai mes élèves s'éloigner dans la cour, les garçons se bourrant de coups de poing, les filles se bourrant de bonbons. Les propos du directeur me revinrent en mémoire : « La bonté n'est pas le trait dominant de la jeunesse... » Un garçon comme Sampan était-il capable de tremper sa plume dans du sang humain ?

On toqua à la porte.

– Je vous dérange ? Alban Rémy. Je suis prof de gym...

Enfin un visage souriant ! Nous nous serrâmes la main.

C'était le garçon qui avait emporté la petite Delmas à l'infirmerie.

– Nous accueillons bien mal les nouveaux venus à Saint-Prix, me dit-il.

– Je ne suis qu'intérimaire. Je n'assurerai que quelques heures de cours, le jeudi et le vendredi.

J'eus envie de lui révéler la vraie raison de ma présence au collège, mais de lui-même il enchaîna :

– Vous êtes allé voir la petite Claire à l'infirmerie ? Est-ce qu'elle vous a donné une explication pour...

– Aucune.

Alban Rémy fronça les sourcils mais se força à prendre un ton insouciant :

– Quelque chagrin d'amour... ou un pari stupide. Les gosses ont leurs petits secrets.

Je m'apprêtais à lui dire : « Et moi, je suis chasseur d'énigmes » quand il me tendit la main :

– Bon, je vous laisse. Bonne chance !

J'avais décidé de loger pour la nuit du jeudi au vendredi à l'Hôtel du Lion d'Or à Queutilly.

De ma chambre, je téléphonai à Catherine sagement restée à Paris.

– Alors ?

– Alors, il y aura bientôt un crime à Saint-Prix et ce sera moi l'assassin.

Je pus enfin ressasser tous mes déboires de la journée, parler de l'ogresse Zagulon, de Simplet le concierge, de Méphisto le directeur, de l'odieux rouquin, de l'impénétrable Claire.

– Il ne manque plus que vous pour achever de me mettre hors de moi, dis-je en conclusion.

La voix de Catherine me parvint, chaude et troublante :

– Rentrez vite à Paris, mon assassin chéri.

– Vous avez gagné, bougonnai-je, je ne vais plus fermer l'œil de la nuit.

Dix minutes plus tard, je dormais.

Ma première pensée du matin fut pour le baron Von Gluck et la classe de 6e2. Allais-je réussir une fois de plus à jouer les charmeurs de serpents ?

– C'est géo aujourd'hui, me dit Térence en posant le cahier de textes sur mon bureau.

– Nous ne ferons plus de géographie.

Depuis le temps que je supporte cette femme, c'est décidé : nous divorçons. Les gosses ouvrirent des yeux ronds.

Je leur devais une explication :

– Je n'aime pas la géographie.

Cet aveu me fit moins de mal que ce que je craignais.

– Nous non plus, on l'aime pas, me dirent en chœur les 6es2.

Térence me présenta le cahier de textes à la page du jour puis il s'éclipsa, pour me laisser seul face à ma découverte. Plein de petits papiers pliés en quatre venaient de se répandre sur mon bureau. J'en ouvris un. En lettres capitales, il était écrit :

MON NOM SECRET EST
PROFESSEUR ARTHUR LEROY.

J'en pris un autre :

MON NOM SECRET EST
PHILIPPINE DE MÉRICOURT.

Tous les enfants s'étaient attribué une nouvelle identité et ils attendaient, fébriles, ma réaction.

– Que ceci reste entre nous, dis-je en refermant le cahier.

Puis je m'assis sur le bureau, les jambes pendantes. Le soleil par la fenêtre déversait sur moi sa lumière.

– Ce jour-là, commençai-je, le Seigneur Râ apprit la naissance de son arrière-petit-fils et il le fit venir en son palais pour l'élever comme son héritier. Osiris était son nom et le malheur sa destinée.

Philippine de Méricourt, Arthur Leroy et le baron Von Gluck suivirent, une heure durant, la barque du Seigneur Râ.

Puis les yeux brillants, ils me saluèrent, frôlant mon bureau, mon cartable ou mon genou. Dans la classe déserte, je dépliai un à un les petits papiers.

MON NOM SECRET EST
DÉSIRÉ SAINT-PHALLE.

MON NOM SECRET EST
BILLY MAC FARLANE.

L'impatience me gagnait. Il y avait autant de billets que d'élèves mais le nom du baron Von

Gluck n'apparaissait sur aucun d'eux. Au dernier papier, mon sourire se figea :

MON NOM SECRET EST
LE MANIAQUE DU CRIME.

Je reportai mes yeux vers la fenêtre. Tirant d'un geste brusque un rideau de nuées, le Seigneur Râ s'était voilé.

Le Seigneur de Saint-Prix

J'avais un trou d'une heure dans mon emploi du temps. Je décidai de l'employer à visiter le collège jusque dans ses recoins. Le plan de Saint-Prix est très simple. Le portail monumental de l'entrée, sur lequel le concierge veille depuis sa loge, ouvre sur un hall glacial encombré de panneaux.

C'est là qu'on apprend que « Axel 3ᵉ cède guitare – prix à débattre » et que « Le club théâtre fonctionnera à partir de janvier ; s'inscrire auprès de monsieur Faure. » Le hall donne sur la galerie à arcades qui fait tout le tour de la cour d'honneur, conférant à Saint-Prix un faux air de monastère.

Les bâtiments en pierre de taille ne comportent que deux étages. Au rez-de-chaussée, on trouve le préau, le réfectoire, une salle de permanence et le CDI. Au-dessus, ce sont les salles de classe, le laboratoire de langues, l'infirmerie, la salle des profs et, au deuxième étage, les chambres des internes, les bureaux de l'administration et les appartements du directeur. Le terrain de sports se trouve au milieu des champs, non loin de la Doué, et les élèves s'y rendent accompagnés. Toutes les entrées et sorties sont filtrées par le concierge qui a des capacités intellectuelles limitées mais, par ailleurs, une vue excellente. Compte tenu de toutes ces considérations, le plaisantin qui avait forcé le casier du professeur d'histoire et noté les copies avec du sang ne pouvait être qu'une personne du collège – ce qui me mettait tout de même quelque 280 suspects sur les bras, soit beaucoup plus que ce qu'admet habituellement mon collègue, Hercule Poirot.

J'ai oublié dans mon descriptif ce carrefour des destinées, ce centre névralgique que représentent les chiottes dans un établissement. Comme j'allais gagner le deuxième étage, après un bref coup d'œil sur toutes les salles de classe, j'entendis un cri effroyable qui semblait provenir des toilettes. J'y courus, je poussai la porte entrebâillée. Deux enfants se lavaient les mains. Je reconnus Térence et Martine Maréchal.

– C'est vous qui avez crié ? demandai-je.

Ils se regardèrent, mimant la surprise la plus totale.

– Vous avez bien entendu un cri ?

Térence se tourna vers la petite Maréchal :

– Tu as entendu quelque chose, toi ?

– Non…

Mais ils avaient un air de sourde excitation qui en disait plus long qu'eux-mêmes. Je fis peser sur eux mon regard… sans effet notable. En relevant les yeux vers le miroir au-dessus des lavabos, j'y aperçus ma silhouette mince et ma pâle physionomie. Autant l'admettre une bonne fois : je ne suis pas impressionnant. Je haussai l'épaule.

– Tant pis, lançai-je en m'en allant. Si vous changiez d'idée, vous savez que vous pouvez me parler.

– Oui, monsieur ! s'écrièrent-ils chaleureusement.

J'inspectai une dernière fois les alentours. Personne.

Je montai donc au deuxième étage. J'avais appris que les chambres des pensionnaires n'étaient pas fermées à clef. Il y en avait une dizaine, toutes semblables, avec deux ou trois lits métalliques, des tables de chevet, des chaises de paille et, par-dessus tout ça, un courant d'air javellisé qui acheva de me déprimer. Machinalement, j'ouvris un tiroir, au chevet d'un lit. Mille petits trésors s'y étaient réfugiés, jeu de cartes, chewing-gums et pin's. Un peu honteux, je le repoussai. Pourtant, si je voulais connaître la face cachée du collège, il ne me fallait pas montrer tant de scrupules.

J'ouvris un autre tiroir. Son contenu me parut plus original : un couteau suisse, un petit Playmobil, « L'Appel de la forêt » de Jack London et... je tressaillis. Derrière quelques dés de Bakélite, il y avait une bouteille en verre pleine d'un liquide rouge. Je la saisis. Sur l'étiquette, une écriture enfantine avait marqué : « Curare ». Un bruit de pas dans le couloir précipita ma décision. J'enfouis la bouteille dans la poche de mon veston.

– On vient, marmonnai-je, en cherchant des yeux une issue.

Il n'y en avait qu'une : le cabinet de toilette.

– Mais viens, y a personne, dit alors une voix juvénile.

– Tu es sûr ? s'enquit timidement une jeune fille.

– Les 6^{es}2 ont cours. On sera pas dérangés. Alors, ce rancard, c'est d'accord ?

Derrière la porte du cabinet de toilette, je me faisais l'effet d'être de la Brigade des mœurs. Qui étaient ces deux jeunes clandestins ?

– Si mon père le sait, il me tuera...

– Mais tu m'as dit que tu pouvais te tirer la nuit sans qu'il le sache !

La jeune fille supplia :

– Oui, mais pas longtemps.

– A 10 heures, jeudi prochain, devant le char à voile. Tu peux quand même faire ça pour moi. Je prends des risques, moi aussi.

Quelque chose me disait que je connaissais ce jeune coq.

La curiosité l'emportant sur la prudence, je poussai légèrement la porte du cabinet. Banzaï ! L'odieux rouquin tenait la main de la petite Iranienne et moi... je tenais ma vengeance.

Mais pour le moment, je préférais ne pas

intervenir. Jules s'était assis sur un lit, à côté de Naéma. Ils allaient sans doute se regarder dans le blanc des yeux pendant une heure.

J'examinai le cabinet de toilette. La fenêtre entrouverte m'invitait à prendre la poudre d'escampette. On pouvait passer de cette fenêtre à une autre, également entrebâillée.

J'évaluai mentalement le trajet : un pas, deux...

– Faisable, marmonnai-je.

Je grimpai sur le radiateur puis, debout sur le rebord de la fenêtre, je jetai un coup d'œil vers la cour. S'il prenait à un élève l'idée de lever le nez, il allait me voir jouant les acrobates. A la grâce de Dieu !... J'avance le pied, une main rivée au chambranle de la fenêtre. Puis, m'agrippant au bossage de la façade, je déplace mon pied. Un bref instant de déséquilibre et hop, me voilà sur le mince rebord de l'autre fenêtre. Je glisse la main par l'entrebâillement. Aïe, je ne peux pas atteindre la poignée. Je dois casser la vitre pour y parvenir. Vite, je vais tomber. Cling.

Le carreau est brisé, je tourne la poignée. Je

saute sur le carrelage du cabinet de toilette. Sauvé.

– Mais tu es con, balbutiai-je en comprimant à deux mains les battements de mon cœur. Tu ne fais plus jamais ça !

Comme dirait Catherine, j'ai besoin de temps en temps de ma décharge d'adrénaline. Mais là, j'avais dépassé la dose prescrite. Je ressortis de la chambre en titubant.

Je décidai de me remettre de mes émotions en allant faire un tour au « Foyer des élèves », appellation bien ambitieuse pour un local en sous-sol, comprenant une table, deux bancs et un fauteuil défoncé. Quelqu'un y grattait négligemment une guitare, couvrant à demi les voix des autres.

– Mort aux bourges et mort aux cons ! s'égosilla soudain un des types.

Les autres rigolèrent. Je m'écrasai contre le mur et retins mon souffle.

– Très bon, dit un garçon, « leur pognon, laisse béton, mort aux bourges et mort aux cons ! »

– Et on enchaîne, dit un autre, « qui vole un œuf, vole un bœuf, tu te feras pécho par les keufs. L'argent sale, laisse béton, ou tu te feras serrer en prison... »

– Ça pue la morale, votre rap, dit une voix nasillarde. On croirait entendre Agnelle.

Le nom du directeur de l'établissement fit exploser un formidable charivari :

– Cul, cul, Agnelle a rien dans la culotte ! Cul, cul, Agnelle a pas de zizi !

Tous tapaient sur la table en rythme.

– Vos gueules, les mouettes, on n'avance pas ! dit un des garçons. Pour le premier lyric, moi, je propose : « Le sort en est jeté et tu seras éjecté des chaises musicales d'la sélection sociale... »

– Wow... C'est intello !

– Mais le rap, c'est intello, p'tite tête.

Soudain, le charivari éclata de façon impromptue :

– Cul, cul, il a rien dans...

Il y avait malheureusement une raison à ce nouveau vacarme. Je la compris trop tard. La lumière électrique du couloir projetait mon ombre devant moi. C'est elle qui m'avait trahi.

Un des jeunes types s'était glissé jusqu'à la porte du local et il venait de m'attraper par le collet. Il me jeta au milieu des autres.

– Ils se paient des mouchards à Saint-Prix, maintenant ! glapit la voix nasillarde.

J'étais au milieu de six jeunes de 3e flanqués de leur égérie, Marie Lemercier, dite Marie Baston.

– Les pions qui nous filent le train, ils restent pas longtemps ici, m'expliqua cette charmante personne.

– Faites gaffe, il peut aller se plaindre, intervint une voix suppliante.

Un septième garçon, masqué par les autres, était assis dans le fauteuil, un cahier sur les genoux, le stylo à la main.

– La ferme, Alcatraz ! commanda le garçon à la guitare. Travaille.

Puis se tournant vers moi :

– Bon, et toi, tu passais par là, t'as vu de la lumière, tu t'es dit...

Exaspéré par ce tutoiement, je l'interrompis :

– Je me suis dit : « Voilà sans doute mes futurs élèves de 3e... si j'allais les saluer ? »

Un seau d'eau froide tomba sur la tête des huit collégiens.

– Quoi ? T'es... vous êtes le nouveau prof ? balbutia le guitariste.

– Faut croire.

Nous nous regardâmes, tous assez embêtés. Ce que je pouvais avoir d'autorité sur ces jeunes gens me semblait définitivement compromis. Quant à eux, ils devaient redouter des représailles.

– Ici, c'est le territoire des élèves, m'expliqua le guitariste.

– Notre territoire, précisa Marie Baston. Les autres viennent pas.

– J'espère que vous ne direz rien au directeur, supplia le garçon qui travaillait.

– La ferme, Alcatraz !

Le grand sec au timbre nasillard fit pleuvoir une grêle de claques sur la tête d'Alcatraz en scandant :

– Et travaille, travaille, travaille.

Puis, la voix pleine d'une froide ironie, il ajouta pour mon édification :

– Sa mère m'a dit de le surveiller.

Je hochai la tête, ne sachant plus comment battre en retraite.

– Eh bien, je… je vous verrai tout à l'heure, en cours.

Je fis une brève tentative de séduction :

– Je m'appelle Nils. Nils Hazard.

Mes yeux bleu nuit, mon sourire emprunté, rien n'y fit.

Aucun ne broncha. Un dernier regard vers Marie Baston acheva de me décourager. Elle pensait manifestement : « Plus gogol que celui-là, tu meurs. »

A 10 heures, je les retrouvai en salle 401. En faisant l'appel, je découvris que le nasillard s'appelait Antoine Boussicot, le guitariste Axel Rémy et « Alcatraz » Juan Rodriguez. En principe, je devais leur faire un cours de géographie, mais je n'avais pas même eu le temps d'ouvrir un livre de 3e. J'achevai donc de me saborder en m'asseyant sur mon bureau, les jambes ballantes :

– En ce temps-là, commençai-je, Isis, la servante du Seigneur Râ, résolut de lui extorquer son nom secret pour avoir tout pouvoir sur lui. Et voilà comment elle s'y prit...

– C'est quoi, ces conneries ? fit la voix nasillarde.

Je jetai un regard désespéré vers la fenêtre. Hélas, le Seigneur Râ m'avait abandonné. Boussicot était le Seigneur de Saint-Prix.

– Ecoute, dis-je à Antoine, tu me fous la paix ou moi, je vais rapporter ce que vous chantez sur Agnelle...

– Du chantage ? grinça Boussicot.

– Un pacte.

Toute la laideur du monde parut un instant se réfugier dans ce maigre visage aux yeux bordés de sang.

– Bon, vas-y avec ta servante, laissa tomber Boussicot, j'espère que c'est une histoire cochonne.

Les élèves ouvraient des yeux stupéfaits et un peu craintifs. Aucun professeur, même celui qu'ils avaient acculé à la dépression, n'avait encore subi pareille avanie. Leur saisissement était tel qu'ils me laissèrent raconter mon histoire sans trop me chahuter.

– Super, conclut Boussicot. Et celle du Petit Chaperon rouge, tu connais ?

Je sautai de mon perchoir :

– Et mon poing dans la gueule, tu veux connaître ?

Une voix nous avertit :

– 22, la Zagulon.

Boussicot me tendit son livre de géographie :

– Fais le cours. Elle vient te fliquer.

J'ouvris le livre à la page 47 et j'entrepris le commentaire d'une carte. Toc, toc, toc.

– Oui, entrez.

La Zagulon passa sa tête enluminée par l'entrebâillement de la porte :

– Excusez-moi, monsieur Hazard, auriez-vous une craie verte à me prêter ?

– Heu... Oui, voilà...

Ses yeux gourmands me parcoururent des pieds à la tête .

– Ça va ? me glissa-t-elle.

– A merveille.

– Si ça n'allait pas, je suis à côté. Salle 402.

Elle referma la porte.

J'allai reposer le livre sur la table de Boussicot. Il me dévisageait, les bras croisés, renversé sur sa chaise.

– Mais pourquoi vous ne faites pas le cours? me demanda-t-il.

– Je n'aime pas la géographie, répondis-je, l'air désolé.

Un frisson de rires parcourut la salle de classe.

– On est les élèves les plus crasses de la Création, me dit Boussicot avec satisfaction. On nous colle le prof le plus nul de la Terre. Normal.

J'acquiesçai. Inutile de lui avouer que j'étais bardé de diplômes et étruscologue distingué.

– Alors, petit prof, reprit avec autorité le Seigneur de Saint-Prix, on va taper le carton bien gentiment. Pas trop de bruit, vous autres ! Marie Baston, surveille le couloir. Ce qui se passe ici, ça regarde personne. Et toi, Alcatraz, travaille !

Juan, docilement, déboucha son stylo-plume et se remit au boulot.

– Pourquoi l'appelez-vous « Alcatraz » ? demandai-je. C'est le nom d'un pénitencier...

– C'est parce qu'on l'a condamné aux travaux forcés, ricana Boussicot. Il fait le travail de tout le monde, les devoirs de maths et les dissertes.

Mes yeux s'agrandirent de stupéfaction :

– Les profs ne se doutent de rien ?

– Non. Alcatraz ne fait pas deux devoirs pareils et il change d'écriture à volonté.

– Ça, c'est fort, murmurai-je, épaté.

Juan prit un air modeste. Il se prit une calotte sur la tête :

– Travaille.

Axel, le guitariste, me fournit aimablement quelques explications supplémentaires tandis que les autres sortaient Walkman et jeux de tarot.

– Pour les interros, Alcatraz nous prépare des antisèches et Marie Baston nous fait des photocopies miniaturisées des bouquins au travail de son père. Dans les bahuts où j'étais avant, on bricolait. Ici, c'est de la gruge industrielle.

Soudain, la tristesse s'empara de moi :

– Mais qu'est-ce que vous espérez avec ce système ?

– Ça fait un moment qu'on n'espère plus rien, me répondit Axel comme si la chose allait de soi.

Il ouvrit son cahier à spirale et, devant moi, il écrivit :

Tête à rap, cœur cloqué,
La vie d'jà t'a débarqué.
Tu clopes, tu taxes, tu frimes.
T'as tout perdu, sauf la rime.

– C'est de toi ? murmurai-je, lentement gagné par le désespoir.

– On veut faire un groupe de rap avec mes potes, me dit Axel. Et on se tirera de ce bahut de merde, de cette vie de merde, et on ira claquer leur pognon de merde sous le soleil des Bermudes.

– Un soleil de merde ? suggérai-je.

– Probable.

Depuis combien de temps étais-je à Saint-Prix ? Vingt-quatre heures ou six mois ? Avais-je été autrefois professeur de faculté, avais-je dans une autre existence écrit des livres, donné des conférences?

– C'est pas par là le réfectoire des profs, m'avertit Axel auquel j'avais emboîté le pas, à la fin du cours.

– Demi-tour, droite ! me lança Boussicot.

En face de moi, les mains dans les poches, tout de hargne et de hâblerie, se tenait le Seigneur de Saint-Prix, un fauve de dix-sept ans se battant les flancs derrière les barreaux de sa prison. « Le diable aura sa part », m'avait dit Agnelle. « Et il n'aura pas trop à se fatiguer, pensai-je en m'éloignant, il lui suffira d'attendre à la sortie... » Qu'est-ce que martelait Axel, le rappeur ?

Le sort en est jeté
Et tu seras éjecté
Des chaises musicales
D'la sélection sociale.

– Monsieur Hazard ! me héla Zagulon, la nymphe de ces lieux. Je vous ai gardé une place.

Les professeurs étaient déjà assis. Alban, le prof de gym, me fit un signe de tête amical. La salle de réfectoire était carrelée de dalles sonores sur lesquelles grinçaient les chaises métalliques des convives. Sur les tables de Formica étaient disposés de grands plats d'aluminium.

– Carottes râpées, olives noires, m'annonça un petit homme au teint brique, à la brosse de cheveux gris fer. Et vous verrez, demain, ce sera céleri rémoulade, olives vertes !

Il me tendit la main par-dessus le plat :

– Monsieur Faure. How do you do ?

– C'est notre boute-en-train, m'expliqua madame Zagulon, pour le cas où je n'aurais pas tout de suite repéré que Faure tenait le rôle du rigolo.

– Je ne sais pas comment vous faites pour être toujours en forme, le complimenta la jeune mademoiselle Kilikini, professeur de mathématiques.

– Et encore, s'esclaffa le rigolo, vous ne me connaissez pas au lit !

– Oh ! s'exclama la Zagulon en faisant mine de désapprouver l'allusion.

– Je suis comme les Italiens, insista le désopilant monsieur Faure. Surtout ravi-au-lit.

On sourit poliment.

– « Il » a encore oublié l'assaisonnement des carottes, pesta soudain un professeur en rejetant sa fourchette.

– Ça manque de vinaigre, concéda mademoiselle Kilikini.

– Ça manque de sel, de poivre, de tout ! s'emporta l'irascible professeur comme s'il en voulait à la malheureuse demoiselle.

– Est-ce que vous connaissez l'histoire du monsieur qui se rend dans un restaurant en Italie ? commença le rigolo. Justement, il veut du sel et du poivre...

– Je vais aller réclamer en cuisine, dit le colérique en se levant.

– Ramenez-nous la mayonnaise ! lui lança la Zagulon.

– Donc, poursuivit le comique que personne n'écoutait, il veut du sel et du poivre mais il ne sait pas comment ça se dit en italien.

– Est-ce que ça va comme vous voulez ? me demanda Zagulon à brûle-pourpoint.

– Très bien, je vous remercie.

– ... et il pense qu'en italien, c'est très facile, on rajoute des a et des o partout.

– Les 3es travaillent correctement, cette année, reprit Zagulon en s'adressant à mademoiselle Kilikini. Vous ne trouvez pas ?

– Alors, il appelle le serveur du restaurant en lui criant : « Ho, garçono, salo, poivro ! »

– Ils ont de bonnes notes, surtout aux devoirs, répondit la prof de mathématiques.

– « Salo, poivro, ah, ah », riait tout seul le boute-en-train.

L'irascible revenait avec l'huile, le vinaigre, le sel et le poivre. On l'acclama tel César chargé des trophées d'une rude bataille.

– Vous avez oublié la mayonnaise, bougonna la Zagulon.

– Il y a une fumée dans cette cuisine ! s'emporta le colérique. On va encore manger de la semelle !

– « Ça vaut mieux que d'avaler de la mort-au-rat », chantonna monsieur Faure dans un dernier effort pour dérider l'assemblée.

Mon regard parcourut la tablée : Zagulon, Faure, Kilikini, le colérique... Savaient-ils ? Savaient-ils qu'ils n'avaient en fait qu'un seul et même élève de 3e, un certain « Alcatraz», faussaire de génie, et pouvaient-ils se douter que j'avais dans la poche de mon veston une bouteille rouge étiquetée « Curare », qu'un enfant de sixième se prenait pour le « maniaque du crime», qu'on poussait des cris effroyables dans les toilettes du premier étage, que Claire Delmas craignait de « se faire toujours assassiner », que Jules Sampan donnait des rendez-vous galants devant un char à voile et qu'Axel rappait son désespoir au « Foyer des élèves » ?

Le café se prenait rituellement dans la salle des professeurs, debout autour de la machine à café. Tout à fait par hasard, je me retrouvai à côté de la jeune professeur de mathématiques. Elle était charmante de profil, avec son nez retroussé.

– Vous vous plaisez à Saint-Prix, mademoiselle Kilikini ?

– Vous pouvez m'appeler Juliette, me répondit-elle.

Elle piqua un fard et ajouta précipitamment :

– Mon nom est tellement atroce !

– Oh non, bredouillai-je à mon tour, c'est… c'est ravissant. Mais va pour Juliette !

Je rougis à mon tour. Les demoiselles me font trop d'effet. Il faudra que je me surveille.

– Alors, « Juliette », que pensez-vous de…

Je m'interrompis : monsieur Agnelle venait

d'entrer dans la salle. Il rejoignait régulièrement son équipe professorale au café, et son arrivée nous procura l'effet rafraîchissant d'une porte de réfrigérateur qui s'ouvre. Quelques minutes plus tard, tout le monde grelottait intérieurement tandis que, par un système de vases communicants, le directeur semblait se réchauffer. Il finit par ôter son manteau et le posa sur une chaise, soigneusement plié. Puis sur un ton d'une stridence pénible, il nous gratifia d'un discours où il fut question du « niveau des élèves de 6e». J'appris donc qu'il était « bas, très bas, plus bas cette année que jamais » et tout le monde d'opiner : « bas, très bas ». Bref, tellement tombé dans les profondeurs que l'enseignement du français et des mathématiques s'apparenterait bientôt à la spéléologie.

*

* *

– Je n'y remets plus les pieds, déclarai-je à Catherine, le samedi matin.

Ma secrétaire était assise, les fesses sur les talons, et elle essuyait les larmes qui roulaient sur ses joues tant elle avait ri au récit de mes mésaventures.

– Je n'ai aucune autorité sur les gamins, constatai-je. Quant aux autres profs, ils me traitent comme un jeunot sans expérience ! A trente-cinq ans, ça fait mal !

J'avais encore dans l'oreille les conseils dont on m'avait accablé au dessert : « Gardez une certaine distance, monsieur Hazard, pas de copinage. Vous êtes de l'autre côté de la barrière, ne l'oubliez jamais ! »

– Je n'ai pourtant aucun problème avec mes étudiants, dis-je à Catherine, le ton renfrogné.

– Et encore moins avec vos étudiantes... Quand vous parlez de l'Egypte, vous «êtes» égyptien. On jurerait que le Seigneur Râ était un de vos potes de régiment.

Je souris, rasséréné :

– Eh bien, je vais retourner à mes amis égyptiens. Vous n'allez pas me traiter de « dégonflé » si j'abandonne, Catherine ?

– Non, ce n'est pas grave...

J'étais un peu décontenancé que Catherine ne protestât pas davantage. Peut-être avec l'âge prenait-elle du plomb dans la cervelle ? La chasse aux énigmes n'a qu'un temps.

– C'est d'autant moins grave, ajouta-t-elle, que je me suis fait engager comme cuisinière à Saint-Prix.

Je bondis de mon siège :

– Vous n'avez pas fait ça ! Je vous avais interdit …

– Que vous êtes beau, quand vous rugissez ! s'écria Catherine en se jetant à mon cou. Vous êtes mon pharaon superbe et généreux.

Et accessoirement le roi des imbéciles quand Catherine fond dans mes bras.

Tu te fais toujours assassiner !

– J'aurai la peau de Jules Sampan!

– Qu'est-ce qu'il vous a fait, ce malheureux gamin ? me demanda Catherine, s'essuyant les mains à son tablier.

J'avais trouvé refuge dans les cuisines de Saint-Prix auprès de la nouvelle cuisinière.

– Il m'a fait que je vais l'étriper. J'ai voulu passer des diapositives tout à l'heure pour occuper ces satanés 4es1 et, bien sûr, quand j'ai branché la visionneuse, « banzaï ! », les plombs ont sauté.

– Vous n'allez pas accuser Jules de ce que l'installation électrique est défectueuse.

Je ricanai, l'œil sombre.

– J'aime votre candeur, Catherine. Et croyez-vous que les tables de la salle 401 lévitent d'elles-mêmes ? A chaque fois que je me retournais vers le tableau pour y noter quelque chose, elles se déplaçaient de vingt centimètres.

Catherine haussa les épaules :

– Des enfantillages ! Vous exagérez pour tout. C'est comme votre description de madame Zagulon. Je m'attendais à un monstre...

– ... et c'est un monstre, dis-je, sur le ton de l'évidence.

– C'est une femme un peu forte qui se maquille trop. A part ça, elle n'est pas déplaisante.

Je fis un bond sur mon tabouret :

– Quoi ! Cette ogresse ?

Catherine se tapa le front de l'index :

– Ça ne tourne pas rond là-dedans, mon petit vieux. Faut vous soigner.

Je passai à la contre-attaque :

– Je suppose que vous trouvez monsieur Faure irrésistible ? Comment dites-vous déjà ? Ah oui ! « Sexy ».

– Il est gentil, dit Catherine du bout des lèvres.

– Il vous tourne autour. Ce midi, il passait

son temps à aller chercher le pain et l'eau, à la cuisine.

– Il est serviable. Et puis ne m'énervez pas, mon petit vieux, ou je vous parle de votre Juliette.

– Mademoiselle Kilikini ? m'écriai-je, de l'air de l'innocence la plus absolue.

– Vous lui donnez du Juliette toutes les deux phrases. « Vous voulez le pain, JULIETTE ? » « Vous voulez l'eau, JULIETTE ? »

– C'est que je suis serviable, mon petit chéri.

– Ah non, ne m'appelez pas « mon petit chéri ». C'est ringard mortel, mon petit vieux.

Je hurlai :

– Dans ce cas, arrêtez de me pousser dans la tombe avec vos « petit vieux » toutes les dix secondes !

Catherine plissa le nez et constata calmement:

– Ça défoule, un peu de psychodrame... Je ne sais pas pourquoi, mais depuis que je suis dans ce fichu collège, j'ai les nerfs en pelote.

Catherine avait raison : il y avait dans l'air un je-ne-sais-quoi d'inexplicable qui détraquait les gens. Peut-être était-ce tout simplement la neige qui nous exaspérait à tomber ainsi en flocons mollasses depuis la veille ?

– « Le Char à voile », Nils, c'est un café dans le centre-ville, m'apprit Catherine en raccrochant son tablier. C'est le point de ralliement des jeunes et le seul endroit de Queutilly à garder un semblant d'animation après 21 heures.

– Ce que je ne vois pas, dis-je, c'est comment Jules pourrait rejoindre Naéma, ce soir. Lucien a l'œil, il ne laissera pas filer un interne. Et après 18 heures, le portail est fermé.

Pour savoir le fin mot de l'énigme, nous convînmes de nous partager les rôles, Catherine et moi. Ma secrétaire irait au « Char à voile » prendre une tisane...

– Et si j'ai envie d'un cognac ? m'interrompit Catherine, d'un air de défi.

– Mais brûlez-vous la gueule au schnaps si ça vous chante, ma petite vieille...

Donc, pendant que ma secrétaire, en sifflant du cognac, ferait le guet au « Char à voile », je surveillerais les chambres des internes, dissimulé dans les toilettes du premier.

– Après vos cours, conclut Catherine, vous viendrez vous cacher dans ma cuisine jusqu'à ce que sonne l'heure fatidique.

– Parfait, camarade.

Nous topâmes.

– Catherine, je n'aime que vous.

– Confidence pour confidence, moi non plus.

*
* *

Je ne recommanderai à personne de passer la soirée dans une cuisine sombre, adossé à une machine à laver la vaisselle en guise de vibromasseur. Il me fallait attendre que les internes se soient couchés et que le pion ait effectué sa ronde de surveillance. Le ronronnement de la machine eut finalement un heureux effet hypnotique. Quand je m'éveillai en sursaut, il était neuf heures passées. J'avais entendu grincer une chaise métallique sur le dallage. Il y avait quelqu'un dans le réfectoire. Dans la brume du réveil, une phrase me troua la cervelle : « Tu te fais toujours assassiner. » Bien sûr, c'était absurde, mais c'était quand même désagréable. Je me redressai lentement. Avais-je vraiment entendu le grincement ou avais-je rêvé ? Jules Sampan était peut-être derrière la porte de la cuisine ? Mais à nouveau, sans me demander mon avis, une phrase me traversa l'esprit :

« Ce n'est pas Jules Sampan. » A pas de loup, je m'approchai de la porte et j'écoutai. Deux minutes s'écoulèrent dans le silence le plus complet. J'avais dû rêver ou bien j'avais entendu un chat, le pion ou un fantôme, rien qui justifiât ces battements de cœur affolés. « La neige ne me vaut rien », pensai-je. « Ni les assassins », ajouta en moi la petite voix.

Quand on ne se contrôle plus, autant passer sur pilotage automatique. J'attendis cinq minutes supplémentaires avant de tourner la poignée de la porte.

Le réfectoire était désert. Je le traversai et, dans ma hâte, j'accrochai un pied de chaise, produisant exactement le grincement métallique que j'avais entendu. J'accélérai encore le pas et montai au premier étage. En passant devant ma salle 401, je crus apercevoir sous la porte un rai de lumière. Cela ne dura qu'une seconde. J'avais fermé ma salle de classe à clef en m'en allant. Si j'avais été le jouet de quelque illusion d'optique, reflet de lune ou autre, la porte était toujours fermée à clef. La vérification était aisée. Doucement, je posai la main sur la poignée et j'allais la tourner quand un petit claquement sec en provenance du deuxième étage me fit bondir de frayeur. Je n'avais décidément aucune vocation de cambrioleur. J'avais bien fait de choisir l'enseignement. Je me dirigeai vers les toilettes et m'y cachai. Quelques instants plus tard, parut Jules Sampan qui venait de fermer la porte de sa chambre et s'éloignait par le couloir, sa lampe électrique baissée vers le sol. C'était enfin le scénario prévu et je retrouvai mes esprits. Quittant mon abri, je repassai devant la salle 401, toujours plongée dans l'obscurité, puis je descendis l'escalier. J'aperçus le rouquin qui poursuivait sa route vers le sous-sol. Se rendait-il au « Foyer des élèves» ? Pour ne pas l'alerter, je dus lui laisser prendre du champ puis je descendis à mon tour au sous-sol. Il y faisait complètement nuit et je me guidai en posant la main sur le mur. Le foyer était fermé. Où Jules Sampan pouvait-il être ? La bouche d'ombre qui m'avalait m'envoya soudain son haleine chargée. Je me risquai à allumer mon briquet. Au fond du couloir, une porte avec une inscription « Réservé au personnel » était entrouverte. Un cadenas était posé au sol. La voie était libre. Mais où me mènerait-elle ? L'odeur de vinasse et de moisissure me renseigna.

J'entrais dans les caves de Saint-Prix, laissées à l'abandon.

De part et d'autre d'un couloir en terre battue, étaient distribuées des portes numérotées et closes par un loqueteau.

Jules Sampan semblait s'être volatilisé. A la lueur de mon briquet, j'aperçus enfin ce que je cherchais : une porte fermée mais dont le loqueteau était relevé. Je pénétrai dans la cave n°7. Elle était vide mais deux caisses en équilibre permettaient de se hisser jusqu'à un soupirail. Les barreaux qui devaient, en temps ordinaire, l'obstruer avaient été descellés et rejetés à terre. J'avais trouvé la clef des champs ! Derrière le soupirail, c'était le plateau de Queutilly, la Doué, la route jusqu'à la ville et jusqu'à Naéma. Sitôt sur mes baskets, de l'autre côté des murs de Saint-Prix, le froid et l'amour me donnèrent des ailes. A chacun sa chacune : moi, je courais me réchauffer auprès de Catherine. J'arrivai bientôt aux premières maisons. Pas une lumière en dehors des rares réverbères que fouaillaient des tourbillons de neige. Ma foulée était plus longue que celle de Sampan, je l'avais déjà en ligne de mire. Encore quelques mètres et je débouchai sur la place du 8-Mai. Derrière les platanes, éclaboussant la nuit de ses néons, « Le Char à voile » embarquait la jeunesse de Queutilly dans un aller simple pour Cythère. Mais ce soir, Jules n'avait pas le ticket. Il battait de la semelle à l'entrée. De Naéma à l'horizon, point. En revanche, j'aperçus Catherine à l'intérieur, attablée devant... une tisane. Je ne pus résister plus d'un quart d'heure à la tempête de neige qui se levait. Je savais l'essentiel : comment Jules Sampan pouvait s'échapper de Saint-Prix. Restait ma vengeance.

Tapant des pieds et m'ébrouant, je secouai la

neige qui me recouvrait puis je m'avançai vers le beau Jules, d'un pas nonchalant. Il était blême et avait le tour des lèvres bleui.

Ses yeux pleuraient de froid mais il attendait.

– Monsieur Sampan…

Son visage se décomposa devant ce dernier coup du sort.

– Je comprends que vous ayez eu envie de profiter du joli temps pour faire un tour en ville, dis-je. Il serait raisonnable de rentrer vous mettre au chaud maintenant.

Je souris malgré moi. Jules avait tout d'un épouvantail transi, ses cheveux roux raidis par le frimas, du givre jusque dans les sourcils.

– « Elle » ne viendra pas, ajoutai-je.

– Ça vous regarde ? me cracha-t-il dans un jet de buée.

Je l'attrapai par son blouson :

– Agnelle ne saura rien de votre escapade à une condition. Si vous me dites comment vous faites sauter les plombs.

Jules plongea la main dans sa poche et en ressortit une prise électrique. Je la lui confisquai.

– Et file !

Sans discuter, il passa devant moi et s'éloigna. Je lui criai :

– 40-30 !

Il baissa la tête pour affronter la tempête et ses désillusions. C'est la vie, Jules Sampan.

– Je vous commande une verveine ? me demanda Catherine.

Je m'assis en face d'elle, tout ankylosé, les mains brûlant de froid. Je posai la prise de Jules Sampan sur la table du café puis je pris dans la poche intérieure de mon blouson le coupe-papier de Catherine.

– Qu'est-ce que vous fabriquez ? s'étonna ma secrétaire, en me regardant tourner les vis pour ouvrir la prise.

– Banzaï ! C'est bien ce que je pensais, dis-je.

Jules Sampan avait raccordé les deux fiches de la prise avec un petit morceau de plomb. Dès que, poussant son cri de guerre, il branchait le tout dans une prise au fond de la salle de classe, il provoquait un court-circuit.

Sacré Jules.

En pensée, je le suivis sur le chemin du

retour, courant à travers champs, se faufilant par le soupirail, replaçant la grille, refermant le loqueteau, rajustant le cadenas…

– Buvez votre verveine, ça va être froid.

Je regardai Catherine sans la voir. Je suivais Jules Sampan passant devant le « Foyer des élèves », montant un étage. Salle 401… Avais-je vraiment vu de la lumière ?

– Youhou ! A quoi vous rêvez, Nils ?

La petite phrase intempestive m'avait de nouveau traversé le cerveau : « Tu te fais toujours assassiner. »

Quand j'arrivai le lendemain matin pour faire cours aux 6^{es}2, la serrure de la salle 401 était de nouveau bouchée.

Merci Jules. Je sortis mon coupe-papier de la poche intérieure de mon blouson.

– Qu'est-ce que vous fourragez dans cette serrure ? fit une voix amusée.

Je me redressai. C'était Alban Rémy.

– Ces fichus 4es s'amusent à mettre du plâtre dans la serrure.

Je renfonçai la pointe de mon coupe-papier et dus constater :

– Merde, c'est du chewing-gum.

Les $6^{es}2$, ce jour-là, me parurent inhabituellement agités. J'appelai Thot et Anubis en renfort pour les faire tenir tranquilles. La rumeur avait déjà fait le tour du collège : quelqu'un avait bombé une inscription en rouge dans le réfectoire des élèves. A l'interclasse, je rejoignis Catherine à la cuisine.

– Alors, me dit-elle, vous avez vu ?

– C'est écrit suffisamment gros.

« A mort, Agnelle » en lettres maladroites qui rappelaient la façon dont les copies avaient été notées. Mais cette fois, il s'agissait de peinture et non de sang.

– Il y avait bien quelqu'un, hier, qui se déplaçait dans le collège, me fit remarquer Catherine.

– Un 3e. Boussicot ou Axel. En somme, c'est la guerre des nerfs entre le directeur et les élèves. Il n'y a pas d'énigme à Saint-Prix.

– Ah, vous trouvez ? se récria Catherine. Et pourquoi Claire Delmas se jette-t-elle par une fenêtre ? Et d'où provenait ce cri que vous avez entendu, près des toilettes ? Et ce « maniaque du crime » qui s'est glissé parmi vos élèves ?

– Et la bouteille de curare, ajoutai-je. N'oubliez pas la bouteille de curare !

Catherine me jeta un regard perplexe :

– C'est vraiment du curare, à votre idée ?

Je hochai la tête :

– Vous avez raison, Catherine. L'assassin rôde. Nous devons veiller.

A 10 heures, je retrouvai les 3es en salle 401. Ils avaient déjà sorti leurs cartes. Alcatraz, pour une fois exempté de corvée, me proposa un 421. Boussicot s'assit en face de nous.

– C'est idiot, votre petit jeu, dis-je en lançant les dés.

– Jeu de hasard, monsieur Hazard, ça devrait vous plaire, remarqua Alcatraz.

– Je parlais de votre bombage sur le mur. Vous resserrez l'étau sur vous. Qui oserait faire une telle chose, à part les 3es, et plus précisément les internes ?

– Une hypothèse n'est pas une preuve, releva Alcatraz, le ton pédant.

– C'est pas nous, dit Boussicot plus abruptement. On aurait pu le faire mais on l'a pas fait. Vu ?

– Assurez-vous tout de même qu'il n'y a pas de bombes de peinture dans vos chambres, répliquai-je en relançant les dés.

Au bout de vingt minutes, lassé de regarder Alcatraz gagner (ce qui me fit supposer qu'en plus d'être un faussaire, c'était un tricheur), j'allai retrouver Axel qui s'était isolé au fond de la classe pour écrire. Il mordillait son feutre.

– En panne ? demandai-je timidement.

Je ne savais jamais comment je serais reçu. Axel tourna vers moi son cahier et je lus :

Brouillard givrant, givré en dedans,
Cinoque, t'as vu juste, vieux schnoque.
Gicle, je suis givré dans ma tête.
Qui sème le vent, récolte la tempête.
Brouillard givrant, givré en dedans.

– Tes parents savent que tu veux faire un groupe de rap ? questionnai-je.

– J'ai pas de parents.

Il retourna son cahier et, sous le « lyric » givré, il écrivit : « J'ai plus ma mère sur terre, plus ma mère et plus mon père. J'ai plus qu'à tirer un trait d'une balle de revolver. »

– C'est sérieux ou c'est « lyric » ? demandai-je.

– … Dépend des jours. Quand je vois la grosse dinde qui sert de mère à Alcatraz ou l'épicier qui se croit le père de Boussicot, j'aime autant être orphelin.

« Brouillard givrant, givré en dedans… » Il était doué, ce gamin. Pourquoi traînait-il sa scolarité comme un boulet ?

C'était mystérieux, mystérieux comme la soumission d'Alcatraz, la haine de Boussicot. Je les voyais tous, s'avançant sur un fil, les bras en balancier, prêts à plonger dans les ténèbres.

A 13 heures, dans la salle des profs, les conversations s'engagèrent autour de la cafetière. Le thème général en était : « Il faut savoir qui a fait ça » – avec des variantes.

– LE COLÉRIQUE : C'est les Boussicot et Cie, un tas de sournois, faut les virer de Saint-Prix !

– Madame Zagulon *(émoustillée)* : Il faudrait les faire avouer…

– Le rigolo : Vous vous voyez bien dans le rôle du tortionnaire, hein ? La question comme au Moyen Age, n'est-ce pas, monsieur Hazard ?

– Mlle Kilikini *(outrée)* : Je fais partie d'Amnesty International, monsieur Faure. La torture, ça existe à l'heure actuelle et il n'y a pas de quoi en plaisanter.

– Alban Rémy : En accusant à tort et à travers, on risque de nuire à des innocents.

– Madame Zagulon *(perfide)* : Mais nous ne parlons pas de votre neveu, monsieur Rémy…

Je me tournai vers le prof de gym :

– Votre neveu ?

Il ouvrit la bouche pour me répondre mais resta sans voix. Le directeur venait d'apparaître dans l'encadrement de la porte, sanglé dans son manteau noir. Un tic lui remontait un coin de la bouche par intermittence.

– Un… un café, monsieur le directeur ? bredouilla Alban.

– S'il vous plaît, oui.

Cet homme était malade. Ses yeux brillaient anormalement dans son visage subitement affaissé. La secousse sismique qui menaçait depuis longtemps venait de le ravager. Alban lui tendit une tasse, madame Zagulon avança une chaise.

– C'est inutile, dit-il.

Mais il appuya la main au dossier de la chaise.

– Mesdames, messieurs, commença-t-il, Saint-Prix traverse en ce moment une crise difficile.

Il fut question du manque de valeurs, de l'absence de repères, ce qui semblait être son antienne favorite. S'échauffant progressivement, Agnelle défit son manteau et le posa sur la chaise, soigneusement plié. Tous ses gestes exprimaient l'esprit maniaque et tatillon.

– Un élève ou des élèves, dont l'inspiration semble diabolique, voudraient détruire notre action éducative…

Il ne contrôlait plus ni sa voix ni ses propos. Il allait se mettre à délirer en public.

– Nous essayons de sauver ces jeunes de toutes nos forces et de tout notre cœur…

Il porta la main à sa poitrine. Sa bouche se tordit en un rictus écumant.

– Au secours ! hurla la Zagulon recevant le directeur dans ses bras.

– Un médecin ! lança Alban. C'est un malaise.

Agnelle revenait déjà à lui mais ne semblait pas comprendre ce qui se passait. Il articula quelques mots incohérents puis ferma les yeux. Une larme roula sur sa joue.

Son visage exprimait une douleur si intense que je ne pus le supporter. D'ailleurs, j'avais un rendez-vous...

– Catherine !

– Quoi ?

– Venez vite. Le « maniaque du crime » va frapper.

– Quoi ?

– Mais dépêchez-vous ! Le crime n'attend pas.

J'attrapai Catherine par le poignet et l'entraînai par les couloirs et les escaliers, répétant toujours : « Vite, mais vite ! » Au deuxième étage, je poussai ma secrétaire dans un renfoncement du couloir.

– Silence, soufflai-je à son oreille.

– Mais…

Je portai l'index à ma bouche. Chut… Je regardai ma montre. Plus que quelques secondes. Soudain, Claire Delmas parut, clopinant sur des béquilles. Catherine broya ma main sous l'effet de l'émotion. Qu'est-ce que l'enfant faisait en un tel endroit ? Claire s'arrêta un instant pour reprendre souffle. Alors, surgit du fond du couloir…

– Nils ! hurla Catherine.

Je la retins. Le maniaque du crime venait de se jeter sur la malheureuse enfant et la poignardait. Catherine me repoussa et courut vers le criminel et sa victime. Trop tard.

Claire s'affaissait en gémissant tandis que Térence, alias le baron Von Gluck, alias le maniaque du crime, s'acharnait sur elle, lui enfonçant son poignard jusqu'à la garde.

– Surprise ! s'écrièrent les deux enfants en se redressant.

« Crouic » fit la lame rétractable du faux poignard. Je m'approchai et m'écriai d'un ton navré :

– Tu te fais toujours assassiner, Claire !

Catherine était encore sous le choc de la scène précédente et son visage exprimait une si profonde hébétude que j'éclatai de rire.

– C'est malin, c'est vraiment malin, ragea Catherine, se ressaisissant enfin.

Je tendis une bouteille rouge à Térence :

– Tiens, pour tes prochains assassinats.

Puis je me tournai vers Catherine :

– Vous avez tellement le goût du sensationnel que j'ai eu envie de vous faire plaisir. C'était bien joué, non ?

– Crétin !

Catherine avait pris le poignard et s'amusait à en enfoncer la lame dans sa main. Crouic. Elle dévisagea les enfants avec curiosité :

– Alors, vous jouez à l'assassin, c'est ça ?

– Le jeu est fini, maintenant, répondit Térence. Nils a deviné que j'étais le maniaque du crime.

Une fois de retour à la cuisine qui nous servait de Q.G., je donnai quelques explications supplémentaires à Catherine :

– Si Claire Delmas a sauté par la fenêtre des toilettes, c'est parce qu'elle se croyait traquée.

C'est une fillette très impressionnable qui, par moments, confond le jeu et la réalité. Quant au cri que j'ai entendu en passant près des toilettes, c'est Martine Maréchal qui l'avait poussé en se faisant assassiner par Térence. Le jeu spécifiait que la victime devait pousser un hurlement « à faire se dresser les cheveux » puis qu'une fois morte elle ne pouvait dire à quiconque le nom de l'assassin. Térence poignardait, étranglait ou empoisonnait avec des fléchettes au curare. Il avait déjà douze victimes à son actif quand j'ai mis fin à sa carrière criminelle.

– Alors, selon vous, tout s'explique. Les 6es2 jouent à l'assassin, les 3es persécutent le directeur. Et le sang sur les copies, et la lettre anonyme ?

– Un type du genre de Boussicot est capable de ces inventions, répliquai-je.

– Il n'y a pas d'énigme à Saint-Prix ?

– Il n'y a plus d'énigme à Saint-Prix.

Ce soir-là, je remontais vers la salle des professeurs tout en rédigeant mentalement le rapport humoristique que j'enverrais à l'inspecteur Berthier sur ma brillante intervention à Saint-Prix.

– Bonsoir, Nils, me salua la prof de maths que je croisai dans l'escalier.

– Bonsoir, Juliette...

Elle me regarda comme si elle souhaitait ajouter autre chose. Mais elle se contenta de sourire et s'éloigna. La salle des profs était déserte. Je vidai mon casier et mis mes livres dans mon cartable. Un dernier regard circulaire pour dire adieu. Mes yeux tombèrent alors sur un vêtement noir qui faisait le gros dos sur une chaise.

– Le manteau du directeur, marmonnai-je.

On avait reconduit Agnelle jusque chez lui en le soutenant et il avait oublié son manteau. Fallait-il le lui rapporter ? Je l'attrapai, hésitant encore, ce qui fit que je le laissai glisser au sol. Je me baissai pour le reprendre et j'étouffai un cri de surprise. Le manteau noir, sévère et toujours boutonné, avait une doublure éclatante, une doublure rouge.

« Tous les êtres ont un envers, murmura en moi la petite voix, et un agneau peut faire un assassin. »

– Changement de programme, dis-je à Catherine, on passe la nuit ici !

– Si c'est un provocateur qui agit, expliquai-je à ma secrétaire, n'ayant pas été pris, il va pousser plus loin la provocation. Et si c'est un fou, qu'est-ce qui l'arrêtera ?

Je demandai à Catherine de surveiller les dortoirs des internes.

– Au moindre bruit de porte, vous vous tenez prête à entamer une filature.

Elle acquiesça. J'ajoutai :

– Moi, je ferai des rondes dans Saint-Prix.

En répartissant la surveillance des lieux de cette façon, je pensais prendre tous les risques de mon côté. Nous nous séparâmes au pied de l'escalier qui mène aux chambres des internes.

– Rendez-vous ici dans une heure, murmurai-je.

Puis je m'éloignai en direction des salles de

classe. Je voulais d'abord vérifier qu'elles étaient toutes fermées à clef. Dès que je me retrouvai seul à errer dans les couloirs, j'éprouvai les mêmes sensations opaques et lourdes que la veille. 11 heures avaient sonné. Saint-Prix craquait comme un vaisseau dont la proue affronte la nuit et la tempête.

C'était un volet mal fixé qui se rabattait subitement, des vitres qui tremblaient sous les assauts du vent, un seau oublié dans la cour par Lucien et qui se mettait à rouler sur les pavés. « Si je *le* rencontre, pensai-je, je ne suis pas armé. » Je me souvins alors du coupe-papier dans ma poche intérieure. Il était affûté et tranchant comme un petit poignard. Je m'arrêtai et je palpai mon blouson. C'est à ce moment-là que j'entendis le bruit. Très léger, très étouffé, mais justement très distinct des bourrasques et des craquements. Le bruit de la présence humaine proche, du souffle qu'on retient, du pas qu'on assourdit. J'éteignis ma lampe de poche. L'autre se tenait là. Il me guettait comme je le guettais. Dans quelques secondes, je saurais si mon intuition avait vu juste. Il ne bougeait plus. Il m'attendait de l'autre côté du couloir. A défaut d'un véritable courage, je suis impulsif. Je me jetai sur l'invisible ennemi, les mains en avant pour le saisir.

– Au secours, gémit celle que je venais de prendre à bras-le-corps.

– Juliette ?

– Nnnn Nils ? fit une voix mourante.

Je relâchai mon étreinte et m'adossai au mur, perplexe.

– Mais qu'est-ce que vous faites là ? demandai-je enfin.

– Je pourrais vous poser la même question.

– Moi, je veux piéger ce mauvais plaisantin.

– Mais moi aussi, m'assura Juliette. Quand j'ai vu l'état du directeur, ce midi, et toutes les insinuations des professeurs, j'ai décidé de faire ma petite enquête.

Je rallumai ma lampe de poche.

– Vous êtes bien pâle, mon petit enquêteur, dis-je, le ton protecteur. Et si nous enquêtions ensemble ?

– Oh, je veux bien... Je suis morte de peur.

Admirative, elle sourit au héros que je ne suis pas. Je lui proposai de descendre au sous-sol ; je voulais lui montrer le passage emprunté par Jules Sampan. Cette fois-ci, le cadenas était sur la porte mais il suffisait de le forcer un peu pour l'ouvrir. Jules le bricoleur avait pensé à tout. Je fis entrer Juliette dans la cave n° 7.

– Tiens, remarquai-je, la grille n'a pas été replacée.

Par le soupirail, on entrevoyait un pan de nuit dans la tempête et des nuages qui galopaient, couvrant puis découvrant la pleine lune.

– C'est impressionnant, murmura Juliette en se rapprochant de moi.

Je passai mon bras autour de ses épaules et j'allais lui répondre affectueusement lorsque... clic. Je sursautai. La clenche venait de retomber dans le mentonnet, avec un petit bruit métallique.

Je bondis à la porte : elle était fermée.

– Le... le loqueteau, bégayai-je.

– Que se passe-t-il ? demanda Juliette.

– Nous sommes enfermés.

Elle se mit à rire :

– Mais non ! Nous n'avons qu'à passer par le soupirail.

Je hurlai :

– Et Catherine ? Vous croyez que je vais la laisser ?

Un froid silence puis :

– Qui est Catherine ?

J'hésitai entre « ma fiancée » et « ma petite amie ».

– La cuisinière, me décidai-je. Elle est en faction devant les dortoirs. Il faut sortir d'ici.

Je secouai furieusement la porte. Puis, me calmant un peu, je constatai premièrement que la porte, même mince, résisterait à mes efforts (je pense avoir déjà signalé que je suis moi-même plutôt mince), deuxièmement qu'il y avait du jour entre la porte et le chambranle. Par cet interstice, en braquant la lampe électrique, j'aperçus la barre métallique du loqueteau.

– Il faut la soulever, marmonnai-je en palpant mon blouson.

Mon coupe-papier devait faire l'affaire.

– Vous cherchez quelque chose ? s'informa Juliette.

– Mon coupe-papier ! hurlai-je.

Pris de frénésie, je donnai des coups d'épaule

dans la porte, sans autre résultat que de me froisser les muscles.

– Et ceci, ça marcherait ?

Juliette avait ouvert son sac à bandoulière. Elle me tendait une lime à ongles.

– Merci, je crois que...

A la troisième tentative, la lime à ongles me permit de soulever la clenche.

– Vite ! Au deuxième étage...

Je ne songeai même pas que l'autre pouvait nous attendre au débouché du couloir. Mon angoisse était trop vive de savoir Catherine livrée à l'ennemi.

– Oh, Cathy !

Elle descendait l'escalier à ma rencontre. Dans mon soulagement, je l'étreignis amoureusement.

– Pas ici, Nils !

Catherine se dégagea et fixa du regard un point dans mon dos. Je me retournai. Juliette nous observait, avec dans les yeux un mélange de surprise et de reproche.

– Je... eh bien... je vous expliquerai, bredouillai-je, mal à l'aise.

Catherine me saisit le bras :

– Oh, là !

Par la fenêtre des toilettes, on apercevait le corps de bâtiment où se situaient les appartements du directeur. Un couloir était faiblement éclairé.

– Il est là-bas, dit Juliette.

Nous bondîmes tous les trois. Dévaler les escaliers, traverser le préau et la cour, remonter deux étages, ce fut l'affaire de quelques instants. Une fois arrivé près de l'appartement du directeur, je dus étendre le bras pour empêcher Catherine de me devancer.

– Du calme, murmurai-je.

On voyait la lumière derrière le coude que faisait le couloir. Encore quelques pas et...

– Personne !

Une lampe électrique allumée avait été abandonnée à côté d'un tas noir. Juliette se baissa :

– C'est le manteau de monsieur Agnelle.

En relevant la tête, elle retint une exclamation de stupeur. Sur la porte du directeur, on avait bombé à la hâte un « Ah ! Ah ! » triomphant. L'ennemi s'évaporait dans un ricanement

– Il est fou, dit tout bas Juliette en s'écartant du manteau.

*

* *

Le samedi matin, les internes rentraient chez eux et le collège prenait sous la neige un air de mélancolie paisible.

Catherine, dispensée de service, était venue me rejoindre dans ma chambre au « Lion d'Or ».

– Il faut prévenir Berthier, décréta-t-elle, en s'asseyant sur mon lit.

– Le prévenir de quoi, ma chérie ?

– Mais le directeur est un malade ! C'est lui qui se persécute lui-même pour pouvoir jouer les martyrs de l'éducation.

– Une hypothèse n'est pas une preuve...

– Que vous faut-il alors ? Qu'il assassine un élève ?

Comme pour répondre à sa question, le téléphone sonna à la tête de mon lit.

– Allô ?

– Ah, monsieur Hazard ! Vous êtes encore à Queutilly. C'est monsieur Agnelle. Je voudrais vous voir, ce matin.

– J'arrive, monsieur.

Je reposai le combiné.

– Ma chérie, votre grand homme va, une fois de plus, affronter le péril. Ça mérite bien...

D'une bourrade à l'épaule, je la renversai sur mon lit.

– Un coup de poignard, compléta Catherine.

J'évitai la lame de justesse en me jetant sur le côté.

Nous roulâmes l'un sur l'autre puis, par pure complaisance, je me laissai poignarder. Crouic.

– Et n'entraînez plus de jeune fille dans les caves, monsieur Hazard, ou la prochaine fois, je tremperai la lame dans le curare.

Je courus jusqu'au collège tout en rajustant ma cravate.

Le vent se chargea du coup de peigne. Le directeur allait sans doute me demander où en était mon enquête. Or, je n'avais rien à lui apprendre car je ne tenais pas à lui parler du jeu de l'assassin, ni de la « gruge industrielle », ni du

« Char à voile ». Tout ce que je savais de la vie occulte de Saint-Prix devait rester caché.

– Donc, vous ne savez rien ? s'irrita le directeur.

– Rien de façon certaine.

Agnelle se pencha brusquement vers moi :

– Mais vous avez des soupçons ?

– Vagues... Tôt ou tard, le coupable fera un faux pas.

Le directeur se rejeta dans son fauteuil avec un soupir excédé :

– Et en attendant, il barbouille ma porte. Ma propre porte, gémit-il. Sentir ainsi la malveillance autour de soi...

D'un geste machinal, il tira d'un étui un coupe-papier avec lequel il se mit à jouer. Fasciné, je le regardai faire.

C'était MON coupe-papier, celui que j'avais cherché en vain, la veille au soir, dans mon blouson. Tout en se lamentant, Agnelle le tournait entre ses doigts, en piquait la pointe dans sa paume, le posait, le reprenait. Plus il s'échauffait en paroles, plus il enfonçait la pointe dans sa chair.

– Vous... vous saignez, balbutiai-je.

– Vous dites ?

Il me dévisagea, comme au sortir d'une hallucination.

Il ouvrit sa paume et vit le sang qui y perlait. Mais il ne réagissait toujours pas.

– Oh, je saigne, dit-il, sortant enfin de sa torpeur.

Il tamponna sa main avec un mouchoir en papier.

– C'est, hmm, un coupe-papier très pointu, remarquai-je.

Agnelle fronça les sourcils :

– Figurez-vous que je ne sais plus à quel élève je l'ai confisqué... Je l'ai sûrement confisqué.

Il se tut, avec cet air égaré qui lui devenait habituel.

– Je l'ai retrouvé dans mon manteau, marmonna-t-il. Poche de manteau. Le manteau que j'ai...

La phrase se perdit dans le labyrinthe de ses pensées.

Je me levai pour prendre congé. Je dus tousser et repousser brusquement ma chaise pour attirer son attention. Il leva vers moi son regard de noyé.

– Au revoir, dis-je. Ne vous tourmentez pas tant...

Ses lèvres articulèrent : « Une telle malveillance... » Je le laissai en tête à tête avec ses obsessions.

Dans la cour, j'aperçus Axel qui faisait du saut de haies par-dessus les bancs pour se réchauffer.

– Tu es collé ? demandai-je.

Je me souvins alors qu'il n'avait pas de parents pour le réclamer en fin de semaine.

– Non. Je ne suis pas collé. Mais mon oncle n'a pas pu me prendre.

– Alban ?

– Ouais. De temps en temps, il veut passer un week-end tranquille avec sa petite copine. Ça se comprend.

J'acquiesçai. Quelle drôle de vie pour un garçon de seize ans. « Brouillard givrant, givré en dedans. » Il se disait « cinoque » et suicidaire, mais sans en paraître affecté.

– Salut ! me dit-il de ce ton qu'il voulait indifférent.

Il ne souhaitait peut-être pas que je parte.

Mais rien n'indiquait qu'il souhaitait que je reste. Il y avait comme une vacance dans ses yeux. Une case de vide dans sa tête.

Quand je revins à Saint-Prix, le jeudi suivant, les 6es2 m'accueillirent dans le hall, très excités :

– Il y a un inspecteur !

Je laissai échapper un « merde » assez incongru. Térence se mit à rire et me rassura :

– Mais il n'est pas pour vous. Il vient pour madame Zagulon.

La Zagulon ! Etait-ce possible ? Mais au fond, pourquoi pas ? Je l'imaginais bien écrivant des lettres anonymes.

Alban passa non loin de moi. Je le hélai :

– Dites, l'inspecteur est là ?

– Oui, mais pas pour vous, me rassura Alban. C'est Faure et Zagulon qui vont y passer.

– Faure aussi, répétai-je, ahuri.

Soudain, je compris et j'éclatai de rire :

– Un inspecteur ! Mais, bien sûr, un inspecteur de l'Education nationale, ah, ah !

Alban dut penser que la folie gagnait du terrain à Saint-Prix.

– Vous n'aurez pas mon neveu en cours, me prévint-il. Il s'est cassé la figure, hier. Il est dans sa chambre.

– Rien de grave ?

– Jambe dans le plâtre.

Je regardai ma montre. J'avais juste le temps de monter saluer Axel dans sa chambrée.

Tout en gravissant l'escalier, je revoyais Axel sautant par-dessus les bancs. Il avait dû rater une haie.

– Hello, casse-cou !

– Ah, c'est vous ? Vous pourriez me rendre un service ? J'ai oublié mon cahier de rap au « foyer ».

– Je te le remonterai après mon cours.

– J'ai le lyric suivant pour mon rap « Brouillard givrant ».

Il se frappa la tête du plat de la main.

– Il est là.

La main sur la clenche de la porte, je me retournai :

– Au fait, tu t'es payé un banc ?

Il me regarda, sans avoir l'air de comprendre ma question.

– Ah non ! Pas un banc… C'est l'espalier du gymnase qui a cédé. La barre du haut.

– La barre du haut, répétai-je.

Nos regards se croisèrent.

– Et au fait, me lança Axel, tu es sûr d'être professeur ?

Laissant Axel à ses doutes, je courus jusqu'à la salle 401 où les 6es m'attendaient, toujours dans l'effervescence.

– C'est aujourd'hui qu'on ouvre la tombe ? me demanda fébrilement Térence.

– Oui, baron.

– Ah ! rugirent tous mes élèves.

Ils fermèrent les doubles rideaux, empilèrent les chaises, écartèrent les tables puis, sous mes ordres, commencèrent l'aménagement du tombeau. Des fresques furent d'abord punaisées sur les murs. Elles représentaient des scènes de chasses, de banquets et de luttes.

– C'est la mienne, ma préférée, me glissa Claire.

Toujours à la recherche d'émotions fortes, elle avait choisi de reproduire la scène du

Phersu: un homme masqué lance un chien des Molosses contre une victime qui, la tête prise dans un capuchon, essaie de se défendre avec une massue – petit divertissement bien propre à égayer des funérailles.

Martine apporta le trône, c'est-à-dire une chaise à accoudoirs recouverte de feuilles d'aluminium. De tous les casiers, sortait la vaisselle précieuse: amphores, chaudrons, brocs, coupes... en pâte à modeler noire et en papier doré. Une table figurait le lit funéraire de la princesse Larthia.

C'est là que s'étendit Claire Delmas, couverte de ses bijoux de Prisunic, tandis que sur une autre table s'allongeait Mathieu, entouré d'armes et de boucliers en carton peint.

– Nous sommes le 22 avril 1836, commençai-je. Regolini et Galassi sont à Caere, dans une « nécropole », c'est-à-dire, Térence ?

– Une cité des morts...

– Ce jour-là, Regolini et Galassi vont découvrir...

Et les enfants de murmurer :

– L'or des Etrusques.

On frappa à la porte juste à ce moment-là et

nous nous regardâmes, pétrifiés par le désespoir. Celui ou celle qui allait entrer ferait s'évanouir nos chimères, de même que les archéologues, forçant les cryptes à coups de pioche, firent tomber en poussière les restes mortels des guerriers et des princesses de l'antique Etrurie.

– Je vous demande pardon... Vous alliez faire une projection, peut-être ?

Un homme, très solennel en costume gris et cravate à rayures, venait de pousser la porte et regardait la scène, en cherchant à dissimuler sa surprise. Les morts s'étaient à demi relevés sur les tables. Térence-Regolini tenait encore en main sa pioche. L'inspecteur – car c'était lui – s'avança vers moi et renversa un des objets insolites qui jonchaient le sol de la classe.

– Mon amphore en *bucchero* ! s'écria la princesse Larthia, outrée par ce crime de lèse-majesté.

– Oh, pardon, balbutia l'inspecteur, en faisant un pas de côté.

– Mon rasoir en demi-lune ! hurla le guerrier.

– Il nous casse tout ! firent les enfants aux abois.

– Excusez-moi, monsieur Hazard, balbutia l'inspecteur, c'est que vraiment on n'y voit rien. Madame Zagulon m'a signalé que vous aviez des méthodes pédagogiques tout à fait novatrices…

« La rosse », pensai-je.

– … et je constate à quel point c'est exact, ajouta l'inspecteur mi-figue, mi-raisin. Pourriez-vous rouvrir les rideaux, jeune homme ?

Il s'était adressé à Regolini. Térence me regarda pour bien faire comprendre à l'intrus qu'il ne prenait d'ordre que de son capitaine. Je fis un signe de tête et il obéit.

– A quoi jouez-vous ? demanda l'inspecteur aux élèves.

– Ce n'est pas un jeu, répondit Mathieu sur un ton de pitié. C'est une reconstitution historique.

– Ah, très bien, très bien. Et qu'est-ce que c'est que ce… machin ? questionna encore l'inspecteur en ramassant un objet.

– C'est ma grande fibule de parade, répondit la princesse, en articulant comme si elle parlait à un simple d'esprit. C'est un bijou en or et c'est fra-gi-le.

– Une fibule, heu, mérovingienne ? demanda l'inspecteur.

Les enfants éclatèrent de rire devant une ignorance aussi crasse.

– On est chez les Etrusques, lui confia Térence, bon enfant.

L'inspecteur se tourna vers moi :

– Mais vous êtes très en retard dans le programme !

– Peut-être, concédai-je.

Puis je lançai :

– Quand vous serez grands, qu'est-ce que vous ferez ?

– Archéologue ! cria Térence.

– Etruscologue, précisa Claire.

– Ah non, je préfère égyptologue ! se récria Martine.

– Archiviste !

– Chercheur !

– Antiquaire !

– Prof d'histoire !

Comme à Guignol, je demandai :

– Vous aimez l'histoire, les enfants ?

Un seul hurlement :

– Ouiiii !

« Pourvu que l'inspecteur ne leur demande pas s'ils aiment la géographie ! » pensai-je au même instant.

– Vous êtes un éveilleur de vocations, dit l'inspecteur qui ne voulait pas s'aliéner d'un coup vingt jeunes esprits surchauffés, c'est... très intéressant.

Il battit en retraite, évitant de justesse un candélabre en bronze, mais écrasant un bracelet.

– C'est ça, les grandes personnes, conclut Térence, ça casse tout et ça s'en va.

– En somme, me consolai-je, j'ai raison de ne pas en être une.

A l'interclasse, la Zagulon passa par la porte sa figure peinturlurée de Comanche sur le sentier de la guerre.

– Alors, ça s'est passé comme vous vouliez ? me demanda-t-elle.

– A merveille !

Et je lui décochai un grand sourire.

Axel devait attendre que je lui remonte son cahier. Je me rendis au « Foyer des élèves ». Je reconnus, dominant les autres voix, le timbre nasillard de Boussicot. Je frappai à la porte.

– C'est quoi ? brailla Marie Baston.

– Le petit prof ! s'exclama Boussicot en me voyant entrer.

– On t'a pas déjà dit que c'était chez nous, ici ? me lança la fille de sa voix de gouaille.

Un ricanement me fit baisser les yeux. Assis par terre, le dos au mur, Jules Sampan jubilait qu'on m'accueillît de cette façon. Le trio Sampan-Alcatraz-Boussicot me parut des plus prometteurs.

– Vous ouvrez un jardin d'enfants ? demandai-je en désignant le 4e1 de la tête.

– Quand on ouvrira le club du troisième âge, on vous fera signe, me répondit Marie Baston, en veine d'amabilité.

Jules Sampan s'esclaffa d'une manière bruyante et un peu forcée. La scène dépassait ses espérances.

– Je viens chercher le cahier où Axel écrit ses raps, dis-je à Boussicot. Il veut écrire.

– Pourquoi tu te mêles de nos affaires ? me questionna Boussicot. Tu crois qu'on va faire copain avec toi ? Les adultes, c'est des flics et des enfoirosses, tu entends ? J'en ai assez vu des profs dans ton genre, et des psys, des éducateurs spécialisés, des travailleurs sociaux, des bonnes sœurs ! Les adultes, ils veulent me « récupérer » comme si je faisais partie d'un tas d'ordures à trier. Je les emmerde, les adultes, et toi avec !

Alcatraz avait cessé d'écrire et il observait Boussicot, non comme l'esclave son maître, mais comme un médecin aliéniste peut guetter chez son patient les progrès du mal.

– Donne-lui le cahier, murmura-t-il à Boussicot, et qu'il nous foute la paix.

Antoine se baissa, prit le cahier d'Axel sur le banc et me le jeta à la figure.

– Je me suis fait assaisonner par Boussicot, dis-je à Axel en posant le cahier sur le lit.

Axel sourit :

– Il ne t'aime pas.

– Pourquoi ?

– Parce que les autres t'aiment bien.

Axel feuilletait son cahier.

– Marie Lemercier ne m'aime pas particulièrement, remarquai-je.

– Arrête. Quand Boussicot n'est pas là, elle trouve que tu es « craquant »... Ne rougis pas, ça n'en vaut pas la peine.

Je m'assis à califourchon sur la chaise, en riant.

– Et Sampan ? demandai-je. Qu'est-ce qu'il traficote avec les 3es ?

– Il veut jouer les durs. Boussicot et Alcatraz se paient sa tête. Sampan leur a raconté qu'il était amoureux fou d'une fille de sa classe.

– Naéma ?

Axel feuilletait son cahier en tous sens, les sourcils froncés.

– Hmm... Oui, Naéma, tu es au courant de tout, toi. C'est une musulmane. D'après ce que dit Sampan, les parents veulent la renvoyer en Iran après les vacances de Noël. Elle doit être mariée là-bas à quelqu'un qu'elle ne connaît pas et qui a trois fois son âge. Enfin, c'est ce que raconte Sampan. Mais merde, où est-il ?

Axel retourna son cahier et le secoua.

– Qu'est-ce qu'il y a ?

– Je ne retrouve pas mon rap de l'autre jour.

Je pris le cahier à spirale et en tournai les pages à mon tour.

– Tu n'as pas déchiré la feuille ?

Axel secoua la tête avec impatience :

– On me l'a chourée.

– C'est quelqu'un qui veut se placer au Top 50 avant toi, plaisantai-je.

Axel marmonna « c'est ça » puis, mordillant son feutre, se mit à reconstituer son premier lyric :

« Brouillard givrant, givré en dedans. »

Par-dessus son épaule, j'écrivis sur le cahier un numéro de téléphone.

– Le « Lion d'Or », chambre 15. En cas de besoin...

En quittant Axel, je me dirigeai vers le préau. Il était désert. J'en profitai pour grimper à l'espalier.

– Je ne vous connaissais pas ce goût pour la gymnastique, lança une voix familière, au-dessous de moi.

– Salut, Alban !... Je regardais le barreau qui

s'est cassé. Axel s'en est bien tiré. A cette hauteur, il aurait pu se tuer.

Le prof de gym hocha la tête :

– Tout ce préau est en mauvais état. Je l'ai dit au directeur, mais il paraît qu'il n'y a pas d'argent pour les réparations. Quand Lucien est allé l'informer qu'un élève s'était cassé une jambe, il est arrivé tout affolé. Mais quand il a vu qu'il s'agissait d'Axel, il a presque poussé un soupir de soulagement.

– Pourquoi ? demandai-je en sautant à terre.

– Mais parce qu'Axel n'a pas d'autre famille que moi et je peux difficilement porter plainte ! Agnelle est un cynique sous des dehors de moraliste.

– Vous ne l'aimez pas beaucoup ? remarquai-je.

Alban se mit à rire :

– On ne peut rien vous cacher. En plus, il est…

Il se frappa la tempe de l'index.

Ce soir-là, je rentrai, le cœur soucieux, à mon hôtel.

Depuis que j'étais venu à Saint-Prix, j'avais l'impression de courir après un leurre et qu'en somme rien n'était encore arrivé de ce qui devait arriver.

– « Le barreau était cassé net » ? répéta après moi l'inspecteur Berthier.

Une fois dans ma chambre, au «Lion d'Or», j'avais décidé de lui téléphoner.

– Oui, expliquai-je, s'il s'était agi d'un accident dû à l'usure, le bois n'aurait pas cassé de cette façon, comme au cordeau. Je pense que le barreau a été scié et remis en place.

– Elucubrations, monsieur Hazard ! s'esclaffa l'inspecteur. Demandez donc à Lucien s'il n'a pas tout simplement raboté ce qui restait du barreau.

– Je préférerais que vous l'interrogiez vous-même, insistai-je, talonné par un pressentiment.

– Le directeur ne souhaite pas voir la police dans son établissement, me rappela Berthier, et rien n'y justifie ma présence.

– Mais justement, le directeur... commençai-je.

– Et alors quoi, « le directeur » ?

– Non, rien..

– Vous me décevez, professeur, laissa tomber Berthier. Vous vous laissez déborder par des collégiens. Vous vous en étiez mieux tiré avec le jeune François Philippe*.

Le lendemain midi, je croisai Alban Rémy au réfectoire.

Pâle et les yeux inquiets, il portait le bras droit en écharpe.

– Que vous arrive-t-il ? lui demandai-je.

Il se força à sourire :

– Une série noire, il faut croire... La corde du préau s'est détachée tout à l'heure. Je me suis reçu à quatre pattes et c'est le poignet droit qui a tout pris. Moi qui voulais faire une démonstration magistrale à mes 6es !

Il allait s'éloigner, avec un rire gêné. Je le retins par l'épaule.

– Et vous trouvez ça normal ? murmurai-je.

– Pas vraiment, répondit-il à voix basse.

Il regarda autour de lui, presque apeuré :

* Voir « N'importe naouak, n'importe comanche » dans *Dinky rouge sang*.

– Je pense avoir compris ce que vous regardiez hier, en haut de l'espalier. Pour la corde, je peux vous répondre : le crochet de fixation a été sectionné à la scie à métaux.

L'assassin est au collège

Je me sentis bien seul, ce vendredi soir, dans ma chambre du «Lion d'Or». Catherine était remontée sur Paris faire je ne sais quelle course sans intérêt. J'avais préféré rester à Queutilly, n'ayant pas de cours en Sorbonne le lendemain. Quelque chose me tracassait sans relâche. Dans mon demi-sommeil, j'entendis la Zagulon me demander si la scie à métaux était d'une grande utilité pédagogique puis je vis Agnelle s'avancer dans un immense manteau noir que le vent souleva soudain, le transformant en une cape rouge, tandis que des dents de vampire se mettaient à lui sortir de la bouche.

– Ah, ah! ricanait-il, du sang humain. Vous en reprendrez bien un peu, inspecteur ?

– Jamais pendant les cours, répondait l'inspecteur. Je suis trop en retard dans mon programme.

– En retard, balbutiai-je, je suis en retard.

J'étendis la main pour arrêter mon réveil. Dring, dring.

– Mais non, sursautai-je. C'est le téléphone.

Je décrochai.

– Allô, monsieur Hazard ? fit une voix chuchotée, à l'autre bout du fil.

Mon cœur s'accéléra. Je regardai l'heure à mon réveil.

22 h 15.

– Oui.

– C'est Alcatraz. Axel m'a donné votre numéro. Je vous téléphone du collège.

– Du collège ?

– Oui. Il y a un téléphone à pièces en face de la salle des profs. Je ne peux pas m'éterniser à cause du pion.

Je m'attendais à quelque révélation fracassante ou bien à des aveux complets.

– Voilà. Vous connaissez Jules Sampan ?

– J'ai quelques raisons de le connaître.

– Il est amoureux de ...

– Je sais, coupai-je, un peu surpris de la tournure que prenait cette conversation nocturne.

– Vous savez aussi qu'il peut sortir du collège ?

– Oui.

– Alors, voilà, poursuivit Alcatraz, embarrassé. C'est une idée de Boussicot. J'ai écrit une lettre à Sampan, en imitant l'écriture de Naéma...

– Qu'est-ce que vous avez mis dans cette lettre ?

– Heu... « Je t'aime plus que ma vie. Je veux partir de cet enfer... » Bon, des conneries. On lui a donné rendez-vous au bord de la Doué, après le terrain de sports, pour ce soir, 22 h 30.

– Mais vous êtes idiots ! me récriai-je. Idiots et dangereux !

– On lui a indiqué un endroit précis, reprit Alcatraz. Un banc, sur le chemin de halage. Il y a un externe qui s'est chargé de déposer une autre lettre, ce soir.

– Et cette lettre dit...

– « Tu es cocu. Je suis partie avec un autre. »

J'imaginai Jules Sampan prêt à larguer les

amarres pour l'amour de Naéma, ouvrant la lettre et la lisant. Non, ce n'était pas drôle. Pas drôle et la Doué n'était pas loin.

J'entendis soudain une autre voix au téléphone :

– Qu'est-ce que vous faites là ?

C'était le pion qui venait de tomber sur Alcatraz.

– Heu, je téléphone à ma mère. Elle est malade.

– Raccrochez immédiatement et allez vous coucher !

– Bon, dit Alcatraz. Au revoir, maman chérie. Bisous.

Il raccrocha. Que faire ? Alerter Lucien ? D'ici qu'il comprenne, il ferait jour. 22 h 22. Je bondis de mon lit, m'habillai, me chaussai. Une fois dans la rue, je me mis à courir, direction la Doué. Etre là, au moins, être là entre Jules et la rivière. Au bout de cinq minutes de course, je sentis un atroce point de côté qui m'obligea à ralentir puis à marcher. 22 h 30. Il était là-bas, il avait lu la lettre.

... Je reprends ma course, je quitte Queutilly, je contourne Saint-Prix, je coupe à travers champs, je n'en peux plus. Le terrain de sports en vue. Je descends le talus. Chemin de halage. La Doué. Mal au côté. Peux plus. Le banc.

– Jules !

Il est au bord de l'eau, le poing serré sur son humiliation, le visage crispé de douleur. Je sens que je vais lui servir de défouloir. Je marche lentement, en reprenant souffle :

– Jules…

– Pourquoi vous êtes là, VOUS ? hurle-t-il, hystérique.

– Parce que… Alcatraz m'a prévenu. C'est lui qui a écrit les deux lettres. Tu comprends ?

Il crie vers le ciel :

– J'avais compris !

Et il lance la boule de papier dans l'eau.

– C'est tous des salauds ! Des salauds !

Il pleure. Je m'avance prudemment. Je murmure :

– Elle ne viendra pas.

Il se tourne vers moi dans un sursaut :

– Je sais !

– Il faut que tu rentres.

– Jamais ! Fous-moi le camp. Je m'en irai tout seul. Elle verra. Ils verront...

Jules sanglote. Quel naufrage, un amour de quinze ans !

Je le prends par l'épaule.

– Allez, viens...

Il se dégage, en m'envoyant son poing dans le ventre. Je m'y attendais un peu, mais ça fait mal quand même.

– Les autres, ils ne savent pas ! crie-t-il à la nuit, le visage renversé. Moi, j'aime.

Je repris Jules par l'épaule et il me suivit, automate, cœur brisé. Tout en marchant, je lui parlai à mi-voix, plus pour bercer sa peine que dans l'espoir de le raisonner.

– Demain, ce sera dur. Et puis, après-demain. Mais un pas après l'autre, tu t'éloigneras.

Un pas après l'autre, je le reconduisis jusqu'au soupirail du collège.

– Tu es rudement fort d'avoir trouvé ce passage, dis-je pour le réconforter.

Jules secoua la tête :

– C'était pas sorcier. J'ai vu le cadenas ouvert, un soir.

Je lui saisis le bras :

– Ce n'est pas toi qui as forcé le cadenas ? Ni ôté la grille ?

– Non. Il faut de drôles d'outils pour ça.

« Et aussi pour limer un crochet ou scier un barreau », pensai-je. Jules employait le chemin de « l'autre » et non l'inverse.

– J'y vais, dit-il en frottant farouchement son visage barbouillé de larmes.

– Je t'accompagne.

– Mais non ! Je suis assez grand...

Je l'escortai jusqu'au premier étage, puis je l'écoutai monter les dernières marches et fermer sa porte.

– Mission accomplie, murmurai-je.

Quand on frappa à ma porte, le lendemain, je l'ouvris en grand.

– C'est beau, l'amour ! m'exclamai-je. Je vous dis : « Venez », et de Paris vous accourez.

Catherine s'accota au chambranle de la porte:

– C'est pour me débiter ce genre d'âneries que vous m'avez fait tomber du lit ?

– Non. Je veux qu'on fasse la revue de détail de nos suspects. Entrez.

Catherine s'assit sur mes draps défaits et sortit un petit carnet de son sac.

– Votre divine intuition ne tient plus la route, monsieur Hazard ? triompha Catherine. Que voulez-vous savoir ?

Catherine s'était chargée de papoter avec les uns et les autres pour collecter l'information – technique un peu besogneuse que j'avais dédaignée.

– Axel ?

– Axel Rémy, dit Catherine en cherchant sur son petit carnet. Rémy, voilà : « Orphelin. Mère actrice, père inconnu. Alban Rémy, tuteur et oncle »

Catherine releva le nez :

– Oui… La mère d'Axel a eu une courte carrière de starlette aux USA sous le nom de Lilas Rémy. Elle a aimé un Américain, un homme déjà marié, dont on ne sait rien. Enceinte, elle est rentrée en France, elle a abandonné le cinéma ou le cinéma l'a abandonnée. Elle a élevé son gamin jusqu'à ce qu'il ait quatre ans. Le jour de son anniversaire, elle s'est suicidée d'une balle de revolver.

– Diable, grommelai-je.

Je repensai à ce qu'avait écrit Axel sous son rap :

Je n'ai plus ma mère sur terre, plus ma mère et plus mon père.

Je n'ai plus qu'à tirer un trait d'une balle de revolver.

– Boussicot ?

– Attendez, rechercha Catherine, Boussicot, voilà : « Père gérant d'une supérette à Queutilly. La mère est partie, laissant trois gamins. » ... Oui, d'après ce qu'on raconte, il n'est pas sûr que le père de Boussicot soit vraiment son père. Il ressemblerait davantage au patron du «Char à voile», si vous voyez ce que je veux dire...

– Assez bien. Alcatraz ?

– De son vrai nom Juan Rodriguez. Le père est expert-comptable. Il a eu des ennuis avec la justice. La mère est une énorme dondon au passé douteux, si vous voyez ce que je veux dire…

– A peu près. Marie Baston ?

– Son père s'étant remarié et ayant abandonné sa deuxième femme qui s'est trouvé illico un second mari, Marie Lemercier n'est plus élevée par ses parents, mais par ses beaux-parents. Je ne sais pas si vous avez suivi le film ?

– Il me manque sûrement des épisodes. Et Jules Sampan ?

– Chic papa, chic maman. Sampan est le typique sale gosse au cœur gros comme ça.

– Je vois très bien ce que vous voulez dire.

Je me tus un moment.

– Pourquoi souriez-vous, Nils ?

– Je souris ? Je pourrais tout aussi bien pleurer. Bon, laissons l'ami Jules de côté. Que sait-on d'Agnelle ?

– Là, c'est le trou noir. Personne ne sait qui il est. Alban Rémy m'a dit qu'il avait dirigé un collège dans la Manche. Tout le monde s'interroge sur sa santé mentale. Il est à Saint-Prix depuis deux ans. Voulez-vous des nouvelles de madame Zagulon ?

– Combien a-t-elle tué d'hommes, de femmes, d'enfants et de chats ?

Catherine rit aux éclats et lut sur son carnet :

– « Professeur très consciencieux. Mariée, deux enfants. » On lui reproche seulement de fourrer son nez partout.

– Le pion de Saint-Prix ?

– Un certain Nicolas Arvet-Dumillon qui semble avoir raté tout ce qu'il a entrepris depuis qu'il est né.

– Bon profil de psychopathe tueur, murmurai-je en connaisseur. Et Lucien ?

– Lucien Renard. Pas aussi rusé que son homonyme. Collectionne les films *gore*.

– Diable ! répétai-je.

– Mademoiselle Kilikini n'est pas dans la liste de vos suspects ? susurra Catherine.

– Si, si. Bien sûr. Alors, elle vient de bénéficier d'une remise de peine, après avoir passé douze ans en prison pour le meurtre de son grand-père ?

Catherine fit semblant de chercher dans son carnet :

– Kilikini, voilà. « Kilikini Juliette. Oie blanche. On ne lui connaît qu'un seul vice... : vous. »

Je pris le carnet des mains de Catherine et fis mine à mon tour de le consulter :

– « Roque Catherine. Se prétend cuisinière. Personnage rancunier qui joue facilement du couteau. »

– Et à quoi d'autre voulez-vous jouer ? me demanda Catherine en plissant le nez à sa façon effrontée.

*

*   *

J'avais regagné Paris, une alouette chantant tout en haut de la tête. C'est bon d'aimer, Jules. C'est meilleur d'être aimé.

La Sorbonne bourdonnait, ce lundi, d'amours étudiantes et de leçons mal apprises. Je dévalai les marches trois par trois. Dehors !

Il fait beau au jardin du Luxembourg. Un enfant pousse son petit voilier sur un bassin.

– Jules, appelle sa mère, tu vas te mouiller !

Quelque chose se mêle à ma joie qui gâche

le bleu du ciel. Les amoureux vont par deux dans les allées du jardin.

Ils écriront leurs prénoms sur un mur, sur un arbre, sur un banc. J'en ferais bien autant.

Nils ♥ Catherine

Mais je n'ose pas. Je suis un grand. Ah, ah! un grand !

J'ai marché trop vite. Mon point à l'aine m'a repris. Pourquoi tout le monde n'est-il pas heureux aujourd'hui, puisque je le suis ?

Quand j'ai poussé la porte de mon appartement, le téléphone sonnait.

– Oui ? Allô ?

– Vous êtes monsieur Hazard ? C'est Jules. Sampan.

Il s'arrache chaque mot.

– Qui t'a donné mon numéro ?

– Le «Lion d'Or».

– Qu'est-ce que tu veux ?

J'essaie d'adoucir ma voix et je n'y arrive pas. Entre nous, ça ne passe pas.

– De toute façon, les autres, c'est des salauds, fait la voix piteuse de l'autre côté.

Je l'imagine, cramponné à son téléphone à pièces, le visage crispé par une sourde envie de pleurer. Est-ce que je suis son seul recours ?

– Je ne peux pas vous dire, là, chuchote-t-il. Il y a trop de monde. Et puis, c'est la salle des profs en face. Il faut que je vous parle.

– Je serai à Queutilly, jeudi.

Non, avant.

D'hésitante, sa voix s'est faite impérieuse.

– Ce soir. Au «Char à voile», après 22 heures.

– Mais non, Jules. Ça suffit, ce petit jeu !

– Ça n'a rien à voir avec... avec Naéma. C'est au sujet de ce qui se passe au collège... Je... j'ai vu... je raccroche.

– Attends. Pas ce...

Il a raccroché. Je regarde ma montre. J'ai juste le temps de sauter dans un train. Que me veut-il, ce petit crétin ? Et pourquoi a-t-il raccroché si vite ? Non, je n'irai pas, mais je l'empêcherai de sortir.

– Allô, monsieur Renard ?

– Heu ?

– Lucien ?

Un bredouillis me parvint. C'était bien le

concierge que j'avais au bout du fil. Mais il était ivre. Tant pis, j'avertis Agnelle.

– Passez-moi monsieur le directeur !

– Heu ?

Excédé, j'attrapai mon blouson et cavalai jusqu'à la gare. Le crépuscule était tombé. Je n'aime toujours pas cette heure qu'éclairent de pâles réverbères.

– Un train pour Queutilly ? me dit le préposé d'un air d'abruti tranquille. Il n'y a pas de direct, le lundi soir. Il faut changer à Cambrès-les-Monts et descendre à La Ferté-sous-Doué. Après, vous avez le car.

– J'ai plus vite fait à pied, en somme ?

Une fois dans le train, j'ai calculé :

Départ 18 h 20. Trois heures de route. Vingt minutes de car. Je serais à 21 h 40 à Queutilly. Je soupirai et sortis « Le Monde » de la poche intérieure de mon blouson. La nuit vint le long de la voie ferrée, nuit d'hiver pétrifiée par le froid. Je posai mon journal sur la banquette. Je venais de reconnaître la bête tapie au fond de moi qui s'était mise à me ronger les entrailles. La peur. Et la voix qui va son train toute seule :

« Comment s'appelle le pion de Saint-Prix ? Pourquoi Jules a-t-il raccroché si vite ? Lucien est ivre, Lucien Renard qui se shoote au film d'horreur. On ne sait rien d'Agnelle. Agnelle qui se troue la peau avec mon coupe-papier... » Je me mis à tambouriner contre la vitre. Mais le train allait moins vite que la voix.

En gare de La Ferté-sous-Doué, le car attendait, noir et froid. Le chauffeur prenait son café au buffet. J'avais envie de crier. Je m'assis au fond du car, resserrant mon blouson sur moi. Deux vieilles dames montèrent.

– Pas chaud, hein ?

– Non.

J'aurais hurlé. Dans ma tête, je parlais à Jules Sampan :

« Reste dans ta chambre. Ne bouge pas. *Il* t'a entendu. Sinon tu n'aurais pas raccroché si vite. Tu sais la vérité, Jules. Tu l'as vu, de tes yeux. J'ai compris, Jules. Surtout, ne viens pas... » Le chauffeur monta, transportant avec lui une odeur de café et de cigarette. Il fit tourner son moteur. Je regardai le cadran lumineux de ma montre. 21 h 35.

A 21 h 55, au bord de la crise de nerfs, je sautai du car sur la place du 8-Mai. Je courus au « Char à voile ». Sampan n'y était pas. Dans mon affolement, je tournai sur moi-même, ne sachant vers où me diriger. Puis je repartis en direction de Saint-Prix. Le soupirail était en place. Je le repoussai à coups de poing. J'entrai dans la cave n°7. La clenche n'était pas dans le mentonnet. Le cadenas n'était pas fixé à la porte marquée «réservé au personnel». J'allumai ma lampe de poche et, au même moment, un gémissement me parvint. Je balayai le couloir avec ma lampe. Désert. A nouveau, on gémit. Etait-ce un piège? Lentement, j'avançai. La porte du « Foyer des élèves » était légèrement entrebâillée. Le gémissement venait de là.

– Quelqu'un ? chuchotai-je.

Je poussai la porte mais quelque chose en gênait l'ouverture. Je passai la main et allumai le plafonnier. Un cri s'étrangla dans ma gorge. J'avais vu une chevelure rousse dans une mare de sang.

– Jules !

Forçant le passage, j'entrai et m'agenouillai.

Face contre le sol, Jules laissait sa vie lui échapper dans un gémissement.

– Jules, c'est Nils. Ton prof. Je vais te sauver, je vais...

Le gémissement devint un murmure à peine audible. Je me penchai.

– Pré. Au pré... pré... ball... médecine.

Et Jules se tut.

– Qu'est-ce que... qu'est-ce qu'il se passe ? demanda une voix mal assurée dans le lointain.

C'était le pion, Nicolas Arvet-Dumillon.

– Par ici ! criai-je. A l'aide !

*

* *

L'inspecteur Berthier fut sur les lieux, dès le matin.

Sampan avait été transporté à l'hôpital de Queutilly puis évacué sur Paris dans un état de coma profond.

– Une batte de base-ball, quelque chose comme ça, m'expliqua l'inspecteur.

Je me souvins des dernières paroles de Jules. Il y parlait de « médecine » et de « ball ».

– On n'a pas retrouvé l'arme, poursuivit Berthier. Mais il y a la Doué...

Nous nous regardâmes et Berthier ajouta :

– Nous avons arrêté le directeur. Sur vos recommandations. Il prétend qu'il n'a rien entendu. Il a dormi profondément toute la nuit.

Ainsi la ville de Queutilly et les parents d'élèves horrifiés apprirent-ils ce jour-là que leurs enfants avaient été confiés pendant deux ans à un... maniaque du crime.

– Berthier m'a confirmé qu'avant d'être à Saint-Prix, me rapporta Catherine, Agnelle était effectivement dans un collège de la Manche où les mêmes événements se sont produits.

– Que voulez-vous dire ? m'étonnai-je.

– Mais oui. Le coup des copies ! Il l'avait déjà fait. Des copies d'élèves avaient été subtilisées et notées 0/20. A l'encre rouge, cette fois.

Je hochai la tête.

– Bien joué, marmonnai-je.

Le lendemain midi, l'inspecteur Berthier demanda aux professeurs et aux élèves de 3e de se rassembler dans le réfectoire. On convia aussi

Lucien Renard et le surveillant Nicolas Arvet-Dumillon.

– Mesdames, messieurs, commença l'inspecteur, il me revient la pénible obligation de vous apprendre...

Il me regarda. J'acquiesçai doucement.

– ... de vous apprendre que le jeune Jules Sampan est mort sans avoir repris conscience.

L'horreur, l'indignation, la stupéfaction, la révolte, la douleur se lurent sur tous les visages. Un à un, je les examinai. L'un de ces visages mentait.

Cavalier seul

– Nous aurions dû éviter ce drame, Nils.

Catherine me regardait, désolée et un peu irritée aussi.

– C'était évident que le directeur était fou. Vous ne vouliez pas en convenir. Il était le seul à pouvoir se promener librement à travers le collège. Forcer un casier, scier un barreau, limer un crochet, écrire sur les murs, tout était simple pour lui. La nuit, il était le maître des lieux.

– Le passage par le soupirail ? murmurai-je.

– Ce n'est pas le directeur qui l'empruntait, d'accord. Mais Jules Sampan n'était pas le seul gamin capable de trouver le moyen de fuguer. Interrogez Boussicot, Alcatraz ou Marie Baston !

– Pourquoi le rap d'Axel a-t-il disparu ? murmurai-je à nouveau.

– Mais il y a des jaloux partout ! protesta Catherine. Il laissait traîner son cahier. C'est sans commune mesure avec un assassinat.

– De quel pré Jules a-t-il voulu me parler ? murmurai-je encore.

Je pris une feuille de papier sur laquelle j'écrivis les dernières paroles de Sampan :

PRÉ AU PRÉ BALL MÉDECINE

– « Ball », c'est sans doute la batte de baseball qui l'a frappé, commenta Catherine, « médecine », c'était plutôt « médecin ». Vous avez mal compris. Il réclamait un médecin.

Je restai un moment dubitatif et mécontent.

– Pourquoi vous cassez-vous la tête ? me reprocha Catherine. C'est trop tard, maintenant. Jules Sampan a payé d'avoir su la vérité avant nous.

– Comment l'a-t-il sue, à votre avis ?

– Mais la nuit où vous êtes allé le rechercher au bord de la Doué, vous l'avez bien laissé au pied du deuxième escalier ?

– Oui. Et alors ?

– Et alors... il a vu Agnelle errant au deuxième étage avec ses yeux de fou. Puis, quand il vous a téléphoné, Agnelle était dans la salle des professeurs et il a tout entendu. Jules avait signé son arrêt de mort

– « Jules avait signé son arrêt de mort », répétai-je sur un ton mélodramatique. Vous devriez écrire des romans policiers. C'est tout à fait le style.

Je baissai les yeux sur mon papier et dans un éclair, je lus :

– Catherine ! Préau ! Préau... Jules parlait du préau et de « médecine-ball ».

– Ces ballons de plusieurs kilos qui servent à la musculation ?

J'acquiesçai.

– Il y en a dans le préau, ajouta Catherine. Ils sont rangés dans un placard.

– Il faut ouvrir ce placard.

Lorsque je me rendis au collège, le vendredi, Saint-Prix avait déjà retrouvé un visage paisible. Les parents avaient d'abord cédé à la panique et téléphoné en nombre pour réclamer leurs enfants. Les professeurs s'étaient efforcés de les calmer. Le criminel étant sous les verrous, le danger était passé. Faure assurait une sorte d'intérim à la direction. Catherine, estimant son rôle terminé, s'était trouvé un successeur aux fourneaux. Renard était dans sa loge, fidèle au poste, presque à jeun.

– Heu ? La clef ? bredouilla-t-il. La clef du... ?

– La clef du placard dans le préau, répétai-je lentement.

– Elle est sur le tableau, monsieur Hazard. Tenez !

Je m'éloignai vers le préau. Qu'est-ce que j'espérais trouver ? Un cadavre découpé en morceaux ? Je tournai la clef dans la serrure et j'ouvris un des panneaux. Aussitôt, un ballon, deux ballons roulèrent des étagères où ils étaient en équilibre. J'en attrapai un qui allait m'écraser le pied et fis un bond pour éviter l'autre. C'étaient des médecine-balls de cinq kilos. J'inspectai les autres étagères. Elles supportaient des haltères de différents poids. Pensivement, je remis les médecine-balls en place, c'est-à-dire en équilibre instable. Qu'est-ce que Sampan avait voulu me dire ?

– Les haltères, me répondit Catherine. Jules vous a indiqué l'arme du crime.

– Mais pourquoi parler de médecine-ball dans ce cas ?

Catherine haussa les épaules. La question lui paraissait sans intérêt. Puisqu'on avait un coupable et une victime, le roman policier était terminé.

– Pourquoi donnez-vous encore des cours dans ce collège ? s'étonna Catherine.

Je lui répondis par une autre question :

– Pourquoi Agnelle a-t-il prévenu la police s'il était le coupable ?

– Mais c'est un fou ! Les fous ont des raisons qui échappent à la raison.

– Pourquoi Agnelle a-t-il manipulé sous mon nez mon coupe-papier s'il l'avait volé dans ma poche ?

– Mais puisque…

– Oui, oui, je sais ! m'exclamai-je. C'est un fou. Il n'y a que dans les mauvais romans policiers que l'assassin est un fou.

– Mais alors, Nils, si le directeur n'est pas l'assassin, qui a tué Jules Sampan et pourquoi ?

– C'est pour répondre à ces questions que je donne encore des cours à Saint-Prix, dis-je en conclusion.

Etait-ce la vérité ? Ne restais-je pas à Saint-Prix parce que là-bas, il y avait Térence, Martine et Claire, Alcatraz, Marie Baston, Boussicot et Axel ?... Axel.

C'était le vendredi précédant les vacances de Noël. Le temps était clair, le vent presque tiède. Drôle, comme les choses se fixent dans la mémoire. J'avais décidé que ce serait mon dernier vendredi à Saint-Prix.

Je m'assis sur mon bureau. Le soleil, passant par les hautes fenêtres, m'inondait. Claire avait posé son visage entre ses mains ouvertes en feuille de lotus. Le Nil coulait à nos pieds. Je promenai mon regard sur ma classe. Les enfants ont des airs de sphinx rêveurs et de jeunes pharaons.

Je commençai :

– Le Seigneur Râ fut, un matin, mordu au talon par un serpent venimeux qu'Isis, sa servante, avait elle-même façonné. Il se tordait de douleur quand Isis, la fourbe, s'approcha de lui et lui dit :

«Apprends-moi ton nom secret, ô Seigneur,

et je le mêlerai à une formule magique. Ainsi, tu guériras du poison qui te brûle.»

Mais Râ flaira un piège et répondit :

«Je suis Khepri, le matin, Râ à midi, Toumou le soir ou encore Atouni. Je suis Harma Khouîti, le soleil d'été, et Atoumou, le soleil d'automne.»

«Ceci, ô Seigneur, n'est pas ton nom secret.»

Je détournai les yeux de la haute fenêtre pour regarder les enfants. Telle Isis, ils attendaient que je leur dise enfin le nom secret, celui qui leur donnerait toute puissance sur le Dieu-Soleil. Je repris :

– Le Seigneur Râ souffrit tant et tant qu'il rappela sa servante et, vaincu, il lui dit :

«Mon nom secret est caché dans mon corps et, pour le connaître, il faut ouvrir ma poitrine comme on fait aux morts pour les embaumer.»

Le nom secret du Seigneur Râ passa de son sein dans le sein d'Isis sans avoir été prononcé. Isis sait le nom secret. De servante, elle s'est faite déesse. Nous, nous ne le saurons jamais.

A la sonnerie, je me tournai une dernière fois vers Amon-Râ :

– Adieu, lui dis-je tout bas.

– Au revoir, m'sieur ! A l'année prochaine ! crièrent les enfants en passant devant moi.

Je ne leur répondis pas.

Dans la cour, j'aperçus Alcatraz, assis sur le dossier d'un banc. A la façon dont il me regarda, je compris qu'il avait envie de me parler.

– Ça va ? demandai-je.

– Pas trop. Je regrette ce que j'ai fait à Sampan.

– Les fausses lettres ?

Alcatraz acquiesça, l'air malheureux.

– C'était une sale blague, dis-je. Mais Jules n'en est pas mort.

– Qu'est-ce qu'on en sait ? Peut-être qu'en partant du collège ou en revenant, il a vu quelque chose... quelqu'un ? Vous croyez que c'est le directeur, l'assassin?

Je tressaillis. Je pensais que pour tout le monde Agnelle était le coupable.

– Tu ne le crois pas, toi ? demandai-je prudemment.

Alcatraz fit la moue :

– Je ne suis pas le seul à me poser des questions. Pas le seul à avoir peur.

– Peur ?

– Si l'assassin, le vrai, était toujours en liberté? dit Alcatraz, plus pour lui-même que pour moi.

Il sauta du banc comme s'il ne souhaitait plus me parler. Mais brusquement, il se ravisa :

– D'ailleurs, Alban Rémy a peur aussi. Comme Axel est immobilisé dans son lit, il lui a filé une arme. Pour le cas où…

Je hochai la tête. Donc, d'autres que moi se méfiaient.

Alcatraz s'éloigna. Je partis de mon côté. Je voulais, une fois encore, inspecter le placard du préau. Quand j'en ouvris les panneaux, à nouveau les médecine-balls roulèrent et j'en reçus un à pleins bras.

– Qu'est-ce que vous cherchez ? fit une voix sévère derrière moi.

C'était Faure.

Depuis qu'il assurait l'intérim de la direction, fini les blagues et les jeux de mots. Peut-être assouvissait-il son plus cher désir : être directeur à la place du directeur ?

– Rien, dis-je en refermant le placard.

Je me dirigeai vers le hall d'entrée. J'allais quitter Saint-Prix sans en avoir percé les mystères.

– Ça va comme vous voulez ? me lança la Zagulon, un sourire écarlate s'épanouissant sur son visage comme une fleur vénéneuse.

– A merveille !

Le ciel, au crépuscule, s'était enveloppé d'un linge humide et glacé. « Brouillard givrant, givré en dedans », me souffla la petite voix. Demain, ce serait samedi, un samedi désert à Saint-Prix. Dans sa chambre, Axel écrirait des raps sur son cahier. Axel seul à Saint-Prix, avec pour tout protecteur un concierge ivre dans sa loge. Heureusement, Axel avait une arme. La glace du crépuscule m'enserra soudain le cœur. « Une arme ? dit la voix. Quelle arme ? » Je fis demi-tour et me mis à courir vers Saint-Prix :

– Juan ! Alcatraz ! Juan !

*

* *

J'avais prévenu Catherine que je ne rentrerais pas à Paris, ce samedi-là.

– Vous comptez prendre votre retraite à Queutilly ?

– C'est le dernier samedi que je passe ici, Cathy, le dernier jour.

– Mais pourquoi ?

J'avais raccroché sans répondre. Je ne savais pas pourquoi. Je savais qu'il le fallait.

A 11 heures, le samedi précédant les vacances de Noël, j'étais devant la loge de Lucien.

– Heu ? Vous avez oublié quelque chose, monsieur Hazard ?

– Non.

– Vous voulez ouvrir le placard, monsieur Hazard ?

Il semblait penser que cette activité m'était devenue nécessaire.

– Non, merci, Lucien. Je viens juste saluer Axel. Il est seul, n'est-ce pas ?

– Heu ? Il y a moi, monsieur Hazard.

Je traversai le hall, le cœur battant à coups désordonnés. Pourtant, il ne pouvait rien s'être passé.

Alcatraz, Boussicot et les autres internes n'étaient partis que depuis un quart d'heure. Je grimpai l'escalier à grandes foulées silencieuses.

– Oui ?

J'entrai. Axel était dans son lit, le cahier sur un coussin, des sandwiches sur sa table de chevet.

– Tiens, monsieur Hazard ?

La voix d'Axel agit comme un filtre : les émotions restent serrées dans sa gorge, devrait-il en étouffer un jour.

– Tu vas passer le week-end tout seul ? m'informai-je.

– Oui. Je suis peinard. Lucien me monte à manger. J'avance sur mon rap, vous savez «Brouillard givrant» ?

– Tu n'as pas peur, ici ?

- Peur de quoi ?

Sa voix s'était légèrement altérée.

– De l'assassin.

Axel eut un rire hésitant.

– J'ai un flingue, me dit-il, crânant comme un petit môme.

– Dans le tiroir de ta table de chevet ?

– Ouais.

– Il est chargé ?

– Prêt à tirer.

Alors, j'entendis. Une porte, en bas, s'était refermée en grinçant.

– Tu attends de la visite ? demandai-je à Axel.

– Pas spécialement.

– Quelqu'un va venir.

– Ah ?

Quelqu'un vient. Quelqu'un monte.

– Axel, je vais me cacher dans la salle de bains. Tu ne dis rien. Tu fais comme si je n'étais pas là.

– Mais...

Je porte l'index à ma bouche et je disparais derrière la porte du cabinet de toilette. Il est là, il va entrer. Celui qui a noté les copies avec du sang, qui a écrit la lettre anonyme, barbouillé les murs, volé mon coupe-papier, scié la barre de l'espalier, limé le crochet de la corde, rendu le directeur à demi fou et assassiné Jules Sampan.

– Tiens, Alban ?

La voix d'Axel n'a pas tremblé.

– Tu n'es pas avec ta copine ?

– Ça m'embête de te laisser tout seul dans cet endroit, après ce qui s'est passé, dit Alban Rémy.

Par la porte entrebâillée, je le vois qui s'avance, le bras pris en écharpe. Avec précaution, il libère sa main prisonnière.

– Tu vas mieux ? questionne Axel, en endormant sa voix autant qu'il peut.

– Oui, le pansement suffit, répond Alban en montrant sa main enveloppée d'une bande Velpeau.

Il s'assoit à la tête du lit, il ouvre le tiroir.

– Ça me rassure de savoir que tu as ça, dit-il en sortant le revolver. Les flics ont beau dire, l'assassin court toujours.

– Tu... tu crois ? bégaie Axel qui commence à regarder du côté du cabinet de toilette.

Heureusement, Alban n'a rien remarqué. Il s'est relevé, l'arme à la main. Tournant le dos à Axel, il entoure le canon du revolver avec le foulard qui ne lui soutient plus le bras.

Il a pensé à tout : la bande Velpeau pour ne pas laisser d'empreinte, l'écharpe pour assourdir la détonation.

– Dis, Axel, pourquoi as-tu écrit : « Je n'ai plus qu'à tirer un trait d'une balle de revolver » ?

Alban s'est brusquement retourné, en posant la question.

– Comment tu sais ?

C'est l'affaire d'une seconde. Alban pose le revolver sur la tempe d'Axel. Et appuie sur la detente. Clic.

– Surprise ! dis-je en repoussant la porte.

– Que… qu'est-ce que vous foutez ici ? hurle Alban.

– La même chose que vous. Je protège Axel. Puisque l'assassin court toujours. J'ai eu une bonne idée, n'est-ce pas, de demander à Alcatraz de décharger le revolver à l'insu d'Axel ?

Tout fier de mon stratagème, je parade, oubliant qu'un assassin acculé devient une bête fauve. Soudain, Alban plonge la main dans sa poche gauche.

– Attention, Nils ! crie Axel.

Alban a sorti un casse-tête. L'arme qui a frappé Jules Sampan.

– Va-t'en ! me crie Axel.

Alban s'est rué sur moi, le bras levé. Je

l'attrape au poignet. De sa main libre, il me frappe à l'estomac.

– Au secours ! A l'aide ! hurle Axel.

– Oui, oui, voilà, fait une voix essoufflée en écho.

J'ai juste le temps d'entendre des piétinements, le cri de rage d'Alban et je m'écroule, dans une gerbe d'étoiles.

– On fait cavalier seul, monsieur Hazard ? me dit quelqu'un dans le brouillard, tout là-haut.

Affaire classée

– Vous n'avez pas trop démoli Alban, au moins? demandai-je à Catherine.

J'étais moi-même encore sonné, un carillon s'agitant joyeusement sous mon front.

– Un coup d'haltère, me répondit Catherine en mimant son geste. J'ai pris ce qui me tombait sous la main en ouvrant le placard du préau.

... Trouvant bizarre mon insistance à passer ce dernier samedi à Queutilly, Catherine avait pris le train au petit matin. Une fois arrivée au «Lion d'Or», elle avait appris que j'étais parti au collège.

– J'avais une demi-heure de retard sur vous, me dit-elle. Deux minutes de plus et vous y passiez. Tout comme Jules Sampan.

– Il faut que je vous avoue quelque chose,

Catherine, dis-je, un peu gêné. Je… je vous ai menti.

Catherine fronça les sourcils et, faisant semblant de chercher autour d'elle, marmonna :

– Où est mon haltère ?

– Du calme. Il s'agit de Jules Sampan. Il… il n'est pas tout à fait mort.

– Quoi ?

– Aux dernières nouvelles, il serait même sorti du coma. Mais il semble avoir perdu l'usage de la parole.

– Pourquoi m'avoir fait croire qu'il était mort ? me reprocha Catherine.

– Tout le monde devait être logé à la même enseigne, rétorquai-je. Nous nous étions mis d'accord, l'inspecteur Berthier et moi. Pour tout le monde, Sampan était mort et Agnelle était l'assassin. Nous voulions mettre en confiance le véritable coupable et l'inciter à sortir de l'ombre.

– Mais comment saviez-vous qu'Alban Rémy était ce coupable ?

Je secouai la tête, ce qui me fit grimacer de douleur :

– Je n'en savais rien jusqu'à vendredi. Je

n'étais à peu près sûr que d'une chose : le directeur n'était pas fou. Il était plutôt victime d'une machination destinée à le faire passer pour fou.

– Et que s'est-il passé vendredi ?

– Une toute petite chose, répondis-je. Alcatraz m'a appris qu'Alban Rémy avait donné une arme à Axel.

Je me revis courant vers le collège, cherchant Alcatraz et le hélant :

– Juan ! Quelle arme ?

– Hein ?

– Quelle arme a-t-il donnée à Axel ?

– Alban ? Un revolver.

– Chargé ?

– Ben... oui.

Alban avait donné un revolver chargé à quelqu'un qui avait écrit : « Je n'ai plus ma mère sur terre, plus ma mère et plus mon père. Je n'ai plus qu'à tirer un trait d'une balle de revolver. » Or, cette phrase qui m'avait si fort impressionné, Axel l'avait écrite sous son rap « Brouillard givrant ».

– Ce rap qui avait disparu, murmura Catherine.

– Ce rap qu'Alban avait arraché au cahier d'Axel.

Le rap n'intéressait pas Alban. Mais la petite phrase pouvait servir à expliquer un « suicide » si on la mettait en évidence à côté du corps d'Axel, mort d'une balle de revolver.

– Bien sûr, ce n'était qu'une intuition, ajoutai-je. Mais Axel avait déjà été victime d'un « accident » troublant et il était à la merci d'un assassin, seul au collège, le samedi précédant les vacances de Noël. Alors, j'ai demandé à Alcatraz d'enlever les balles du barillet.

– Vous avez trouvé le vrai coupable et la vraie victime, remarqua Catherine. Il ne vous manque que le mobile.

Nous allions bientôt le connaître.

*

* *

– On a toujours l'impression de déranger, bougonna l'inspecteur, en s'asseyant sur le divan, en face de moi.

– Mais pas du tout, dis-je en reboutonnant mon col de chemise.

Ma secrétaire se recoiffait devant le petit miroir du bureau.

– Catherine, vous nous faites du thé ?

Elle s'éloigna de ce pas tranquillement chaloupé des filles qui marchent en baskets.

– Alors ? Du nouveau, inspecteur ? Sampan a retrouvé la parole ?

– Non, le traumatisme semble définitif. Mais la petite amie d'Alban Rémy s'est mise à table. Elle a craqué dès le premier interrogatoire.

– Et que vous a-t-elle raconté ? demanda Catherine, en posant la théière sur la table basse.

– D'abord, qu'elle devait fournir un alibi à Alban Rémy pour ce samedi. Ils étaient censés avoir passé la journée ensemble à La Ferté-sous-Doué.

– Mais vous a-t-elle dit pourquoi Alban voulait « suicider » Axel ?

– C'est tout simple. Alban est l'oncle d'Axel et Axel est milliardaire.

– « Milliardaire » ! répéta Catherine, avec des frissons dans la voix.

– Ou peu s'en faut, ajouta l'inspecteur. Il l'ignore encore, il va l'apprendre bientôt. Mais

Alban, lui, le savait déjà. Il est le tuteur d'Axel, donc le premier au courant.

– D'où vient cet argent ? questionnai-je à mon tour. Du père d'Axel ?

– Exactement. Cet homme marié que la petite actrice Lilas Rémy a connu aux Etats-Unis était très riche. Mais ses affaires étaient trop mêlées à celles de sa femme pour qu'il songe à divorcer. Lilas Rémy l'a quitté sans rien lui demander, même pour l'enfant à naître. Cet homme, Richard Eton, est décédé il y a trois mois. Il était veuf, sans enfants, et il a légué toute sa fortune à Axel Rémy ou à son plus proche parent en cas de décès. Alban Rémy a pensé qu'un petit suicide l'arrangerait bien.

– Suicide d'autant plus crédible que la mère d'Axel s'est elle-même suicidée, souligna Catherine.

Mais tout un pan d'ombre restait encore.

– Les copies corrigées avec du sang, la lettre anonyme, l'espalier scié ? murmura Catherine.

– Alban ne se reconnaît coupable ni de ces méfaits ni de la tentative d'assassinat sur Jules Sampan, répondit Berthier. Il en charge le directeur.

– Agnelle est innocent, intervins-je, et il n'est pas fou. Il a seulement eu le malheur de raconter à Alban Rémy qu'avant d'arriver à Saint-Prix il avait été directeur dans un établissement de la Manche où des collégiens avaient volé des copies et les avaient toutes notées 0/20. Alban a eu l'idée de recommencer la blague à Saint-Prix, en corsant un peu la chose avec du sang.

– Ça ne tient pas debout, ce que vous racontez ! s'esclaffa Berthier. Pourquoi Alban se serait-il amusé à jouer les «comte Dracula» ?

– Les inspecteurs de police – dont vous êtes un saisissant exemple – ne brillent pas particulièrement par leur intelligence, répliquai-je posément. Quand ils découvrent un crime, ils s'en tiennent à un axiome éprouvé par des centaines de romans policiers : « Cherche à qui le crime profite. » Or, dans le cas d'Axel, la réponse aurait été évidente, trop évidente. Alban a tout de suite compris qu'il lui fallait trouver un autre coupable et le proposer à la police en même temps que la victime.

– Et il avait choisi son directeur ? me demanda Catherine, incrédule.

– Agnelle, sans être fou, est une personnalité fragile, consciencieuse jusqu'à l'angoisse et il est malade.

– Le cœur, en effet, approuva l'inspecteur.

– On pouvait le faire passer pour un malade mental, repris-je. Du reste, en le tourmentant, Alban Rémy l'a presque fait basculer dans la folie. Ce que voulait Alban, c'était persuader tout le personnel et les élèves que le directeur se persécutait lui-même puis que sa folie, se retournant contre la mauvaise graine du collège, était soudain devenue meurtrière. Alban avait peut-être même choisi l'arme du crime…

– Et c'était ?

– Mon coupe-papier, répondis-je. Il l'avait volé dans mon blouson et glissé dans la poche du manteau d'Agnelle.

– Tout ceci est bien gentil, grommela l'inspecteur, mais ça n'a ni queue ni tête. Alban Rémy ne s'est pas servi du coupe-papier.

– Il n'a pas pu mener son plan jusqu'au bout, répliquai-je, parce qu'il s'est senti traqué.

– Traqué ? s'étonna Berthier. Et par qui ?

– Mais par moi. A deux reprises, la nuit, nos

chemins se sont croisés. Alban Rémy ne se sentait plus libre de circuler dans le collège comme il le voulait. Quelqu'un l'espionnait et avait même trouvé son passage par le soupirail.

– Jules ?

– Jules et moi. Alors, Alban changea de tactique. Il voulut faire croire à un accident et il scia le barreau de l'espalier.

– C'était très imprudent, remarqua Catherine. On allait fatalement le soupçonner. Prof de gymnastique, il envoie son neveu au casse-pipe. Curieuse coïncidence, non ?

J'acquiesçai :

– Il a agi dans l'affolement. Cet argent, il le voulait et il ne pouvait cacher beaucoup plus longtemps cette histoire d'héritage à l'intéressé. Si Axel avait appris qu'il était milliardaire, croyez-vous qu'il serait resté une minute de plus dans « ce bahut de merde », comme il l'appelait ? Il aurait demandé son émancipation, se serait lancé dans le show-biz et aurait largué son oncle. Il fallait faire vite. Le tuer avant qu'il ne se sache riche.

– Mais l'accident s'est soldé par une jambe cassée, me rappela Catherine.

– Et pire que cela, il avait éveillé mes soupçons. Alban me surprit juché sur l'espalier en train d'inspecter les barreaux.

Catherine claqua des doigts :

– D'où l'idée de détourner vos soupçons en simulant sur lui-même un second « accident » !

Berthier regardait notre numéro de duettistes, de plus en plus hébété.

– Bien sûr, Alban ne se fit pas du tout mal en sautant à terre quand la corde craqua, poursuivis-je. Mais il en profita pour se mettre le bras droit en écharpe. Il devenait à son tour une victime d'Agnelle.

– Non mais, attendez, attendez ! se récria Berthier. Je n'y comprends rien.

– Le contraire m'eût étonné, dis-je entre mes dents.

– Que vient faire Sampan dans tout cela ? me questionna l'inspecteur.

– Jules a eu le malheur de voir quelque chose qui accusait Alban. Il a voulu me prévenir et il m'a téléphoné. Mais le téléphone se trouve dans le couloir, en face de la salle des professeurs. Alban a surpris notre conversation.

– Des élucubrations, ronchonna Berthier. Il n'y a pas de preuve. Et pourquoi Jules vous a-t-il parlé des « médecine-balls dans le préau » ? On ne le saura jamais...

Je me tus.

En pensée, je me revis en train d'ouvrir le placard du préau.

– Ça y est ! Je sais ! hurlai-je.

Berthier faillit renverser sa tasse de thé dans un sursaut.

– Quoi encore ? explosa-t-il.

– Je... je sais ce... ce que Jules a vu, dis-je, bégayant sous le coup de l'émotion. Il a vu Alban Rémy ouvrant le placard du préau.

– Et alors, monsieur Hazard ?

– Alban avait le bras en écharpe, le bras droit. Il a ouvert le placard de la main gauche. Mais quand il a tiré le panneau vers lui, les médecine-balls ont roulé. Cinq kilos chacun. Il a eu le même geste instinctif que moi.

J'ouvris les bras comme je l'avais fait pour intercepter un des ballons.

– Alban est très vif. En un éclair, il a dégagé son bras du foulard, il a attrapé le médecine-ball qui allait lui écraser le pied et il l'a remis en place.

– Et alors, monsieur Hazard ? répéta Berthier, l'air accablé.

– Alban s'était cru seul dans le préau. Mais Jules Sampan était là. Jules l'a vu se servir de ses DEUX mains sans aucune difficulté. Il n'avait donc pas le poignet cassé ni foulé.

– Jules a vu Alban Rémy, conclut Catherine, mais Alban Rémy a vu Jules le voyant.

L'inspecteur porta la main à son front, simulant une brusque migraine.

– Bon. Je crois que je vais vous laisser. De toute façon, on ne saura jamais la vérité puisque ce pauvre gosse a perdu l'usage de la parole.

Huit jours plus tard, Sampan avait recouvré la voix. Ses premiers mots furent pour dire qu'Alban Rémy avait ouvert le placard du préau, que les médecine-balls avaient roulé et que, se croyant seul, il en avait rattrapé un…

– Il y en a dans cette petite tête, dit Catherine en passant la main sur ma bosse. L'inconvénient, c'est que vous imaginez très bien les événements passés, mais que vous prévoyez très mal les ennuis qui vont vous arriver.

– Je vous paie pour que vous assuriez l'intendance, ma chérie.

– Vous êtes à claquer. On ne vous l'a jamais dit ?

Berthier sonna à ma porte quelques minutes plus tard. Il entra et nous dévisagea, goguenard :

– J'arrive encore mal à propos.

– Pas le moins du monde, dis-je en remettant les pans de ma chemise dans mon pantalon tandis que Catherine se repoudrait le nez.

– Vous espérez figurer dans le « Guinness des records » ? insista Berthier avec un rire gras.

Il s'assit sur le divan et nous mit enfin au courant du but de sa visite :

– Alban Rémy est passé aux aveux complets. Il a innocenté Agnelle et reconnu la tentative d'assassinat sur Jules Sampan.

– Affaire classée, dis-je en me tournant vers ma secrétaire.

Elle ne l'était pas tout à fait.

*
* *

Dans les semaines qui suivirent, je fus très pris par un cycle de conférences que je devais donner, par des mémoires à corriger, des épreuves à relire. Les événements du collège Saint-Prix s'éloignèrent vite de mon esprit. De temps en temps, pianotant sur mon ordinateur, je levais les yeux et une image refaisait brusquement surface. C'était la classe de 6e2 peignant des fresques étrusques ou récitant après moi tous les noms des dieux égyptiens. C'était Jules Sampan sous la neige attendant Naéma. Et plus souvent encore, c'était Axel se faisant les griffes sur son cahier de raps.

– Vous savez ce que devient Axel Rémy ? m'interrogea Catherine, un soir.

– Aucune idée. Je suppose qu'il a quitté Saint-Prix.

– Je... j'ai eu de ses nouvelles.

– Ah oui ?

Comme la voix de Catherine était hésitante, je redoutais de la questionner. Axel en équilibre sur un fil, les bras en balancier : c'était ainsi que je le revoyais. Le diable aurait-il sa part, finalement ?

– Il est parti de Queutilly, reprit Catherine.

Il s'est installé dans un loft, du côté de Boulogne. Il a beaucoup d'amis, beaucoup trop.

Je me rembrunis. Axel était sans doute mal entouré. Son argent n'attirerait à lui que des requins et des oiseaux de proie.

– Il essaie de monter son groupe de rap, dit encore Catherine.

Je soupirai. Axel allait se faire dépouiller. Il irait de dérives en galères. Et la drogue au bout, probablement.

– Il n'a pas l'air très heureux, ajouta Catherine. Il m'a parlé de vous. Il aimerait bien vous revoir.

Je soupirai de nouveau. La voix de Catherine se fit alors fervente :

– Il a confiance en vous, Nils. Il souffre que vous ne l'ayez pas recontacté. Il vous a écrit dix lettres qu'il a toutes jetées. Si quelqu'un peut quelque chose pour lui, c'est vous.

– Il n'a besoin de rien, dis-je. Il est cent fois plus riche que moi...

– Et deux fois plus jeune, compléta Catherine. Il est en danger, vous le savez bien.

– Je ne peux ni le rendre plus pauvre ni le rendre plus vieux ! criai-je. Je ne peux rien pour lui.

– Vous n'avez pas une chambre d'ami dans votre appartement ?

Je sursautai :

– Pardon ?

– Vous m'avez bien entendue, Nils. Axel serait d'accord.

– D'accord ?

– Il est prêt à quitter le loft si c'est vous qui l'accueillez.

Je haussai les épaules. Catherine inventerait n'importe quoi pour me compliquer l'existence.

– Je suis un solitaire, Catherine. Un aventurier solitaire.

– Un rond-de-cuir égoïste, oui ! hurla Catherine.

– C'est ce que je voulais dire, fis-je entre mes dents.

Puis j'allai m'installer devant mon ordinateur et fis semblant d'être très absorbé.

Le lendemain, quand le téléphone sonna, je décrochai sans méfiance.

– Oui, allô ?

– C'est... monsieur Hazard ? Je... suis Axel,

dit une voix qui se voulait atone mais que l'émotion faisait haleter. Axel Rémy… vous vous souvenez… Allô ?

– Oui, oui, bonjour, Axel. Vous allez bien ?

– Ça va… à peu près, quoi. Je ne suis plus… au collège.

– J'ai entendu dire cela. C'est dommage que vous arrêtiez vos études.

– J'aime pas… J'ai jamais aimé. Les études, quoi.

Il y eut un silence, un silence à bout de souffle. Puis :

– Est-ce que je pourrais vous parler, monsieur Hazard ? Mais pas au téléphone…

– Dans un café ?

– Oui, c'est ça, approuva-t-il. Au « Char à voile ».

L'idée me prit tant au dépourvu que je ne protestai même pas. Nous convînmes d'un rendez-vous pour le lendemain en soirée.

*

* *

Quand le car me déposa place du 8-Mai, je m'aperçus à quel point le temps avait passé. De toutes jeunes feuilles avaient poussé aux platanes, le crépuscule s'attardait en demi-teintes paisibles. Mars, déjà. Je repassai dans ma tête les quelques phrases que j'avais l'intention de dire à Axel :

« Tu es à un âge où l'on peut et l'on doit prendre ses responsabilités... Attention aux fréquentations... Le rap, c'est un rêve de gosse mal aimé... Continue tes études... Je pourrai te conseiller. » Nous nous serrerions la main. Ce serait très viril : « Compte sur moi, ma porte te sera toujours ouverte. » Et voilà.

J'entrai au « Char à voile » et je faillis reculer sous le choc.

– Pour Nils, lança une jeune voix, hip hip hip...

– Hourra ! clamèrent dix poitrines.

Ils s'étaient tous levés d'un même élan. Boussicot, Alcatraz, Marie Baston, Térence, Claire, Martine, Mathieu et Axel. Puis ils s'écartèrent et, derrière eux, je vis Catherine et, appuyé sur Catherine, la tête ceinte d'un bandeau blanc, rescapé de la mort, rescapé de l'amour : Jules Sampan. A mon tour, je criai :

– Banzaï !

Je n'aurais jamais cru qu'une telle émotion pût me submerger. Ces mômes, mais j'y tenais ! Tous se mirent à me parler à la fois, me tirant par le bras, m'attrapant par la main. « M'sieur Hazard ! M'sieur Hazard ! » Catherine me guettait du coin de l'œil. Bien sûr, c'était elle qui avait monté le traquenard.

– Nils, me dit-elle d'une voix grave qui les fit tous taire à l'instant même, Nils, je crois qu'Axel veut te demander quelque chose.

Le piège se refermait. Mais quelle bêtise d'être venu là !

– Monsieur Hazard, commença Axel presque solennel, «je n'ai plus ma mère sur terre, plus ma mère et plus mon père... »

Je fis « non» de la tête. Je ne connaissais que trop la phrase qui allait suivre et je n'en voulais pas. Mais Axel conclut tout autrement :

– Aussi, je vous demande d'être mon tuteur.

Je jetai un regard consterné à Catherine. Piege, elle m'avait piégé.

– Alors, tu dis oui ? s'impatienta Térence.

– Je dis... je dis... oui, balbutiai-je, vaincu.

– Hourra ! hurlèrent dix voix.

Mais je pointai un doigt menaçant vers Axel :

– Toi, fini de zoner dans des lofts ! Tu vas te remettre aux études. Sérieusement. Et pas de « gruge industrielle ».

– C'est promis, monsieur Hazard, me répondit Axel, momentanément prêt à tout.

Puis il éclata de rire et se tourna vers ses copains :

– Ça sera du jamais vu : je serai le premier rappeur étruscologue !

Table

Du même auteur,

dans la collection MÉDIUM à *l'école des loisirs*

Amour, vampire et loup garou
Oh, boy!
Ma vie a changé
Tom Lorient

Dans la série des *Émilien*:

Baby-sitter blues
Le trésor de mon père
Le clocher d'Abgall
Au bonheur des larmes
Un séducteur-né
Sans sucre, merci
Nos amours ne vont pas si mal

Dans la série des *Nils Hazard*:

Dinky rouge-sang
La dame qui tue
Tête à rap
Scénario catastrophe
Qui veut la peau de Maori Cannell?
Rendez-vous avec Monsieur X